KB196628

미국정치의 양극화

오바마, 트럼프 시대의 선거정치

Obama

미국정치의 양극화

오바마, 트럼프 시대의 선거정치

Trump

정진민 지음

역사공간

책머리에

저자의 미국정치에 대한 연구는 미국 양대 정당인 민주당과 공화당 간 힘의 균형이 일정한 주기를 가지고 변화되어 온 것에 대한 관심으로부터 출발하였다. 처음에는 흔히 정당재편성(Party Realignment)이라 불리는 장기적인 미국 정당의 지지기반 변화에 대해 주로 관심을 갖고 있었다. 또한 원래부터 흥미가 있었던 정치세대(Political Generation)와 관련하여, 저자의 미국정치에 대한 또 다른 관심사는 뉴딜(New Deal) 세대, 베이비 붐(Baby Boom) 세대, 베이비 버스트(Baby Bust) 세대, 밀레니얼(Millennial) 세대 등 미국 사회의 다양한 세대들이 어떻게 서로 다른 정치성향을, 특히 정당지지 성향을 갖고 있고, 다양한 세대의 상이한 정치성향이 미국정치 변화에 어떻게 영향을 미치는지에 관한 것이었다.

주로 미국 정당의 지지기반 변화와 정치세대에 대한 연구를 해오던 차에 미국정치에 대한 관심이 커지게 된 것은 2008년 미국 대통령선거에서 민주당 후보였던 오바마(Barack Obama)의 당선으로 미국 역사상 최초로 흑인 대통령이 나오게 되면서부터다. 특히, 오바마 대통령 집권 이후 이에 대한 반작용으로 매우 보수적이면서 공화당을 지지하는 티파티(Tea Party)운동이 부상하고 이로 인해 공화당의 보수성향이 한층 더 강해지면서 이에 맞선 민주당의 진보성향 역시 더욱 뚜렷해지게 되었다. 그 결과 1980년대부터 진행되어 오던 민주-공화 양당 간 이념적, 정책적 입장 차이가 점점 더 커지는 정당분극화(Party Polarization)가 더욱 심화되었다. 이처럼 오바마 대통령 집권 이후 정당분극화가 심화됨에 따라 격화되는 미국정치의 분열과 대립 양상에 주목하게 되면서 정당분극화를 포함한 미국정치의 양극화 현상에 대한 연구를 선거 중심으로 시작하게 되었다.

티파티운동의 등장으로 강화된 공화당의 보수성향을 배경으로 하여 2016년 미국 대통령선거에서 강력한 반이민 정책과 미국의 제조업과 노동자들의 일자리 보호를 명분으로 관세 인상과 같은 보호무역주의 정책을 내세운 공화당의 트럼프(Donald Trump) 후보가 당선될 수 있었다. 더욱이 정당분극화와 이로 인한 미국정치의 분열과 대립 양상은 트럼프 대통령 집권 이후 더욱 격화되면서 급기야 2020년 대통령선거에서 재선을 위해 출마했다가 패배한 트럼프 대통령이 대선 결과에 불복하는 미국 선거 역사상 초유의 사태가 벌어졌고, 이후 2021년 1월 6일 트럼프 대통령의 열렬 지지자들이 대통령선거 결과를 최종적으로 확정하는 절차가 진행 중이던 미국 의회의 의사당 건물에 난입하는 미국정치에서 유례를 찾아 보기 어려운 상황까지 발생하였다. 이에 미국정치의 양극화 및 이로 인해 격화되는 정치적 분열과 대립 현상에 대한 저자의 연구는 오바마 대통령의 집권으로부터 시작하여 트럼프 대통령의 재집권이 좌절된 2020년 대통령선거까지 이어지게 되었다.

이 책에서 다루고 있는 미국정치의 양극화는 한국정치에서도 최근 정치적 양극화 현상이 심화되고 이로 인해 정치적 분열과 대립이 격화되고 있어 시사하는 바가 크다. 미국의 양대 정당처럼 한국의 정당정치도 진보와 보수를 대표하는 두 개의 주요 정당으로 이루어진 양당체계를 기본 골격으로 하고 있다. 더욱 중요한 것은 한국의 양대 정당이 주요 선거에서의 득표율이나 의석점유율에 있어서 압도적인 우위에 있을 뿐 아니라 미국의 양대 정당 못지않게 최근 들어 점점 더 분극화되고 있다는 점이다. 또한 이처럼 정당분극화가 이루어지면서 정당 내부의 응집력이 커짐에 따라 의회의 입법과정 역시 자주 극심한 대립 양상을 보이고 있다.

이처럼 미국이나 한국의 양대 정당이 정치적 이념이나 정책 입장에 있어 점점 더 분극화되는 양상을 보여주고 있는 것과는 달리 두 나라의 대부분 유권자들은 이념이나 주요 정책 쟁점에 있어서 대체로 중도적인 입장을 취하는 경우가 많다. 하지만 정당을 지지하는 열성 유권자들, 특히 이념적 성향이 강한 열성적인 지지자들, 즉 정당활동가(Party Activist)들의 경우에는 상대 정당 또는 상대 정당을 지지하는 유권자들에 대해 강한 비호감 또는 적대감을 표출하는 경우가 많다. 이에 따라 강한 당파적인 입장과 감정, 특히 상대 정당에 대한 적대적인 감정을 갖고 있는 정당활동가들 및 이들의 영향을 크게 받는 선출직 공직자들과 일반유권자들 사이에는 심각한 불일치가 나타나고 있다. 또한 이들 정당활동가들은 일반유권자들이 매일매일의 일상생활에서 어려움을 겪고 있는 일자리, 주거, 교육, 의료 등 민생현안보다는 자신들의 이념적 정치의제에 집중함으로써 또 다른 불일치를 야기하고 있다.

더욱 심각한 문제는 선거를 통해서 선출된 정당 소속 선출직 공직자들이 자신들의 이념적 의제에 집중하고 있는 정당활동가들로부터 과도하게 영향을 받아 정책결정에 있어 사회 전체의 이익을 고려한 종합적인 사고와 균형감각을 상실할 수 있다는 점이다. 이는 선거 과정뿐 아니라 특히 정당의 후보를 선출하는 과정에서부터 이들 정당활동가들이 커다란 영향력을 행사하고 있어 선거에 나선 후보들이나 다음 선거를 준비하는 선출직 공직자들이 이들 정당활동가들의 정치적 요구에 매우 취약한 상황에 있기 때문이다.

이와 같이 선출직 공직자와 정당활동가들을 포함하는 정치엘리트들과 일반유권자들 사이에 점점 더 간극이 커지고 있는 불일치는 정치권 밖의 국외자(Outsider)들이 용이하게 진입할 수 있는 새로운 정치적 공간을 제공하고 있다. 실제로 정치적 양극화가 심화되면서 확대되고 있는 정치엘리트들과 일반유권자들 간의 심각한 불일치로 인하여 국외자 정치인들의 등장이 미국을 비롯한 많은 민주주의 국가들에서 점점 더 빈번해지고 있다. 이들 국외자 정치인들의 공통된 특징은 보수나 진보와 같은 이념적 성향에 관계없이 대중들의 인기에 영합하는 대중영합주의(Populism)에 기반하고 있다는 점이다. 한국의 경우에도 정치엘리트와 일반유권자 간에 점점 더 벌어지고 있는 불일치의 간극으로 인하여 대중영합주의적인 국외자 정치인이 출현할 가능성을 배제할 수 없는 상황이다.

여기서 문제는 이들 대중영합주의적 정치인들이 미국의 트럼프 사례에서 볼 수 있듯이 정치적인 목표 달성을 위하여 민주정치의 근간을 이루는 법치주의를 무시하거나 훼손하는 행태를 보여줄 수 있다는 점과 자신들의 정치적 실책에 대하여 이를 외면하거나 책임을 회피하는 무책임한 태도를 보여줄 수 있다는 점이다. 결국 문제는 일반유권자들의 정치적 소외감의 확산으로 인하여 선동적인 대중영합주의적 정치인들의 출현이 잦아지면서 민주정치의 위기를 초래할 수도 있다는 점이다.

이처럼 이 책에서 다루고 있는 정치적 양극화가 후보선출 과정을 포함한 선거과정을 통하여 증폭되면서 일반유권자와 정당활동가를 포함한 정치엘리트 사이에 당파성이나 이념성향, 그리고 정책의제 등에 있어 간극을 확대시키는 결과로 이어질 수 있다는 점에 문제의 심각성이 있다. 또한 정치적 양극화로 인해 초래된 일반유권자와 정치엘리트 간 간극의 확대는 대중영합주의적 정치인의 등장 가능성을 높이게 되어 민주주의의 심각한 위기상황까지 초래할 수도 있다는 점에서 우리 모두 깊이 고민해 보아야 할 문제이다.

주요 정당들 간의 이념적, 정책적 거리가 멀어지고 정당을 지지하는 열성적인 유권자들 간에 상호적대감이 높아지는 정당분극화가 진행되는 상황에서, 그리고 보다 극단적인 방향으로의 정치적 양극화가 진행됨에 따라 이로 인하여 정치적 소외감을 갖는 무당파 유권자들이 늘어나면서 정당의 정치적 대표 기능이 약화되고 있는 상황에서 절실히 요청되는 것은 정치적 양극화를 완화시키기 위한 정당들 간의 협력정치를 증진시키는 일이다. 즉 정치적 합의 도출을 보다 용이하게 함으로써 민주정치가 보다 안정적으로 작동되게 하기 위해서는 무엇보다도 정당들 간의 협력정치가 제고될 필요가 있고, 이를 이루기 위한 조건들을 갖추어 나가는 것이 매우 중요하다. 아무쪼록 이 책이 정당들 간의 협력정치를 증진시켜 민주정치의 안정적인 작동에 도움이 되는 방안들을 모색하는 데 있어 하나의 출발점이 될 수 있기를 기대하여 본다. 여러 가지로 어려운 여건 속에서도 이 책의 출판을 기꺼이 맡아주신 도서출판 역사공간 주혜숙 대표님과 직원 여러분들에게 깊이 감사드린다.

2021년 6월
정진민

차례

1

들어가면서

2020년 대통령선거 이후 미국에서 벌어졌던 일련의 정치적 혼란상은 미국 역사상 유례를 찾아볼 수 없었던 것들이었다. 복수 정당체계와 자유경쟁 선거를 토대로 하고 있는 민주주의 정치체제에 있어서 경쟁적인 선거를 통한 평화적 정권교체는 민주주의 체제를 원활하게 작동하게 하는 핵심축이다. 가장 오랜 민주주의 역사를 갖고 있는 미국의 경우에도 선거를 통한 평화적 정권교체는 건국 이후 군건한 정치적 전통으로 이어져 온 바 있다.

하지만 2020년 대통령선거가 끝나고 선거에서 패배한 트럼프 대통령은 선거 결과에 승복하지 않았을 뿐 아니라 부정선거 주장을 되풀이하면서 선거 결과를 뒤집으려는 시도를 계속하였다.[1] 결국 2020년 대통

---

[1]   트럼프 측의 이러한 시도는 주로 대법원, 항소법원, 지방법원 등 각급 법원에 60여건의 선거
소송을 제기하는 형태로 전개되었는데, 단 한 건도 승소하지 못하고 모두 패소한 바 있다.

령선거 결과를 최종 확정하는 절차가 진행 중이던 연방 의회에 열렬 트럼프 지지자들이 난입하는 초유의 사태가 벌어지게 되고 트럼프 대통령은 이들의 의사당 난입을 선동했다고 비판받으면서 곤경에 처하는 상황에 이르게 되었다.

이처럼 2020년 대통령선거 이후 전개되었던 역사상 유례를 찾아볼 수 없었던 극심한 정치적 혼란상과 관련하여 더욱 중요한 것은 이러한 극단적인 정치적 분열과 대립이 일회적이거나 일시적인 것으로 볼 수 없다는 점이다. 오히려 이와 같은 극단적인 사태는 정치적 분열과 대립이 최근 수십 년간 누적되고 격화되어 왔다는 점에서 해결 방안을 모색하기가 쉽지 않고 앞으로도 지속되면서 반복될 가능성이 있다는 데에 문제의 심각성이 있다. 이러한 가능성은, 예를 들어, 트럼프 대통령의 부정선거 주장을 공화당을 지지하는 유권자들의 70퍼센트 이상이 동의하고 있는 데에서도 그 단서를 찾을 수 있다.

결국 문제의 핵심은 민주-공화 양당의 유권자 지지 규모가 대등한 균형의 정당정치(Party Politics of Parity)로 바뀌면서 양당 간의 경쟁이 치열해지는 상황에서 오바마(Barack Obama)대통령과 트럼프(Donald Trump)대통령 시대를 지나면서 분열과 대립이 더욱 고조되는 정치적 양극화가 점점 더 심화되고 있는 현상이 미국정치의 가장 중요한 특징으로 뚜렷하게 자리잡아 가고 있다는 점이다. 미국정치의 분열과 대립이 심화되는 정치적 양극화는 멀리는 2000년대 부시 시대와 1990년대 클린턴 시대 그리고 1980년대 레이건 시대까지 거슬러 올라갈 수 있지만 이 책에서는 최근의 정치적 양극화와 더욱 직접적으로 관련되어 있는 2010년대의 오바마 시대와 트럼프 시대에 집중하여 정치적 분열과 대립을 격화시키고 있는 미국정치의 양극화가 심화되는 상황에서 치러진 주요 선거들을 다루고 있다.

최근 들어 이처럼 미국정치의 양극화가 심화되는 데에는 여러 가지 요인들이 작용하고 있다. 우선 진보적인 민주당과 보수적인 공화당의 이념적 정체성이 양대 정당의 지역적 지지기반의 변화로 인하여, 특히 미국 남부지역에서 커다란 변화가 일어나면서 더욱 뚜렷해졌다는 점이다. 또한 유권자들의 정치적 선호에 크게 영향을 미치는 매체 환경과 관련하여 기존의 주류 공중파 방송의 비중이 줄어들면서 당파적 편향성이 상대적으로 더욱 강한 케이블 TV, 라디오 시사방송, 그리고 인터넷 매체와 소셜미디어 등의 비중이 커지면서 유권자들의 당파적 편향성을 강화시키는 데에 강하게 작용하고 있는 것도 정치적 양극화의 중요한 요인이 되고 있다. 최근 수십년간 빠르게 진행되어 온 비백인 인구의 증가와 이로 인한 백인 유권자들의 인종적 분노(Racial Resentment) 역시 정치적 양극화의 중요한 요인으로 작용하고 있는데, 이러한 인종적 갈등이 백인, 특히 백인 남성과 비백인 간의 뚜렷하게 구별되는 정당 지지 성향과 맞물리면서 정치적 양극화를 더욱 더 증폭시키고 있다.

위에서 열거한 요인들 이외에 정치적 양극화의 또 다른 핵심적 요인은 문화적 요인인데, 이는 정치적 양극화가 1980년대 이후 점차 문화적 쟁점(Cultural Issue)들을 둘러싸고 민주당과 공화당이 뚜렷하게 대비되는 입장을 갖게 되면서 문화정치(Politics of Culture)가 미국 정치과정의 핵심축을 형성하게 된 데에서 기인하는 바가 크기 때문이다. 문화적 쟁점들을 토대로 하는 문화정치는 오바마 시대가 시작된 2008년 대통령선거에 이르기까지 이미 20년 이상에 걸쳐 숙성되어 온 바 있다.

1980년대 이후 시간이 지나면서 문화정치가 미국 정치과정의 핵심축을 형성하게 되면서 1930년대 민주당의 루즈벨트(Franklin D. Roosevelt) 대통령 집권으로 본격화된 경제적 쟁점(Economic Issue)들을 둘러싼 전통적인 진보 - 보수 정치의 기본 틀에 심대한 변화가 일어나게 된다. 이는 경제적 쟁점들을 둘러싼 전통적 진보 - 보수 정치가 기본적으로 계급적 이해관계와 관련된 계급적 균열(Class Cleavage)을 중심으로 이루어져 있는 반면 문화적 쟁점들을 둘러싼 문화정치는 유권자들의 가치 정향과 관련된 가치 균열(Value Cleavage)을 중심으로 이루어지고 있어 계급적 균열을 가로지름으로써 계급균열 축을 크게 동요시킬 수 있기 때문이다. 더욱이 유권자들의 가치 정향과 관련된 가치 균열을 중심으로 이루어지는 문화정치는 유권자들의 정체성과 직결되어 있어 정치적 타협이 쉽지 않은 정체성의 정치(Politics of Identity)가 될 가능성이 크다는 점에서 정치적으로 중요한 의미를 갖고 있다. 이는 정체성의 정치에서는 주로 계급적 이해관계와 관련된 전통적 진보 - 보수 정치에서보다 정치적 절충과 타협이 이루어지기가 훨씬 어렵게 되어 정치적 분열과 대립이 고착화될 가능성을 더욱 높일 수 있기 때문이다.

사실 오바마는 2008년 대통령선거에 도전하면서 이미 상당 수준 진행되어 온 미국정치의 양극화를 극복하겠다는 의지를 천명한 바 있다. 하지만 오바마의 핵심 대통령선거 공약이었던 흔히 오바마케어(Obamacare)로 알려져 있는 건강보험 개혁법(Affordable Care Act)이

의회를 통과하는 과정에서 공화당의 극심한 반대에 직면하게 되고 의회의 다수당이었던 민주당과 공화당 의원들은 당론에 따라 뚜렷하게 구별되는 찬성과 반대 표결을 하게 된다. 오바마케어 법안이 민주당이 다수당이었던 의회에서 입법화에는 성공하였지만 결국 보수적인 미국 유권자들을 결집시키는 중요한 계기로 작용하여 공화당을 지지하는 티파티(Tea Party) 운동이라는 풀뿌리 대중운동이 전국적으로 확산되는 결과로 이어지게 된다.

오바마와 트럼프 시대의 정치적 양극화 심화로 인해 격화되고 있는 미국의 정치적 분열 및 대립과 관련하여, 먼저 2장에서는 민주 - 공화 양당 간의 치열한 경쟁을 초래하게 된 양당 간 균형의 정당정치가 어떤 과정을 거쳐서 등장하게 되었는지를 살펴보고자 한다. 다음으로 문화적 쟁점들을 둘러싼 문화정치가 미국정치에서 어떠한 배경과 과정을 거쳐 본격화되었는지 그리고 문화정치가 본격화되면서 미국의 정당 지지 기반에 어떠한 변화를 가져왔는지에 대해 논의하고자 한다. 이어 오바마와 트럼프 시대의 정치적 양극화 심화의 출발점이라 할 수 있는 티파티운동이 2008년 대통령선거에서 승리한 오바마 대통령이 집권한 이후 어떠한 배경에서 부상하게 되었고 티파티운동이 본격적으로 현실 선거정치에 개입하게 되는 2010년 중간선거에서 선거 과정과 선거 결과에 어떻게 영향을 미쳤으며 미국정치의 양극화 심화에 어떻게 기여하였는지를 살펴보고자 한다.

3장부터는 지금까지 논의한 민주 - 공화 양당 간 힘의 균형 변화, 정치적 쟁점의 변화, 정치적 양극화 현상의 심화에 초점을 맞추어, 2010년대에 치러진 미국의 주요 선거들, 즉 2012년 대통령선거, 2014년 중간선거(연방상원 선거), 2016년 대통령선거, 2018년 중간선거(연방하원 선거), 그리고 2020년 대통령선거를 각 선거의 핵심적 사안을 중심으로 다루고 있다. 이는 미국의 정치적 양극화가 선거를 전후하여 가장 적나라하게 드러나기 때문이다.

먼저 3장에서는 미국정치 양극화의 가장 중요한 부분인 정당분극화가 심화된 배경을 살펴보고, 정당분극화의 심화로 초래된 민주-공화 양대 정당의 지지기반 및 양대 정당 지지자들의 정책적 입장에 있어 차이가 2012년 대통령선거에서 어떻게 나타나고 있는지를 논의하고 있다. 또한 정당분극화가 심화되면서 늘어나고 있는 무당파 유권자들이 민주당이나 공화당을 지지하는 당파적 유권자들과 비교하여 정책적 입장이나 정치적 태도에 있어 어떻게 다른지를 살펴보고 무당파 유권자의 증가가 갖는 정치적 의미를 논의하고 있다.

4장에서는 공화당 내전(Republican Civil War)이라고도 불리는 티파티운동과 공화당 주류 간의 갈등이 2014년 중간선거, 특히 연방상원 선거 과정에서 어떻게 표출되었고 최종 선거결과에 어떻게 영향을 미쳤는지를 살펴보고 있다. 이 장에서는 2014년 중간선거 중 특히 연방상원 선거에 집중하여 살펴보고 있는데, 이는 2014년 중간선거를 통하여 민주당 행정부와 공화당 우위의 연방하원 구도가 현실적으로 바뀌기 쉽지 않은 상황에서 연방상원 선거가 2014년 중간선거 이후 미국의 정치지형을 변화시킬 가능성이 가장 커서 관심이 집중되었던 선거이었기 때문이다.

5장에서는 정치적 기반을 갖고 있지 못했던 정치적 아웃사이더 후보가 민주-공화 양당의 후보선출 과정에서 크게 약진했던 2016년 대통령선거를 양당의 대통령선거 후보선출을 위한 경선을 중심으로 살펴보고 있다. 이는 2016년 대통령선거를 앞두고 치러진 민주-공화 양당의 경선 과정에서 약진했던 트럼프와 샌더스(Bernie Sanders)와 같은 정치적 아웃사이더들이 그동안 미국정치가 양극화되는 과정에서 소외되어 왔던 유권자들을 대변하고 있다는 점에서 중요한 의미를 갖고 있다고 볼 수 있기 때문이다. 이 장에서는 주로 트럼프와 샌더스를 지지했던 유권자들이 어떠한 유사성과 차별성을 갖고 있는지, 그리고 이들의 지지기반, 특히 지지기반의 차별성이 갖고 있는 정치적 함의에 대하여 다루고 있다.

6장에서는 트럼프 대통령 집권 2년 차를 마무리하는 시점에서 치러진 2018년 중간선거를 다루고 있다. 이 장에서는 특히 2018년 연방하원 선거와 관련하여 2016년 대통령선거에서 정치적 아웃사이더이었던 트럼프 공화당 후보의 승리에 결정적인 기여를 했던 미국 중서부 지역의 저학력 백인 유권자들의 정당지지 행태를 중심으로 살펴보고 있다. 2016년 대통령선거에서 민주당을 이탈하여 공화당의 트럼프 후보를 지지하였던 저학력 백인 유권자들의 정당지지 행태 변화는 민주-공화 양대 정당의 지지기반에 중대한 변화를 야기함으로써 민주-공화당 간 힘의 균형에 심대한 영향을 미치는 정당재편성(Party Realignment)으로 이어질 수도 있다는 점에서 중요한 의미를 가질 수 있다. 이러한 시각에서 이 장에서는 2016년 대통령선거에서 미국의 중서부를 중심으로 한 북부 지역에서 어떠한 정당지지 변화가 일어났는지, 트럼프 집권 2년 동안 이루어졌던 주요 정책 변화들이 이러한 정당지지 변화에 어떻게 영향을 미쳤는지, 그리고 특히 치열한 선거 경쟁이 벌어졌던 중서부 5개 주의 2018년 하원선거 결과가 미국의 정당재편성과 관련해서는 어떠한 함의를 가지고 있는지 등을 논의하고 있다.

마지막으로 7장에서는 민주당과 공화당 간의 치열한 경쟁이 전개되었던 2020년 대통령선거에서, 특히 교외 지역에 거주하는 유권자들의 정당지지 행태 변화에 초점을 맞추어 살펴보고 있다. 최근 미국 대통령 선거 결과가 10여 개 안팎의 접전주(Battleground State)에서 민주-공화당 중 어느 정당이 더 많이 승리하느냐에 따라 결정되고 있지만, 이들 접전주의 선거 결과는 접전주 내에서도 인구밀집도(Population Density)에 있어 도시과 농촌 사이에 위치한 교외 지역의 정당지지가 어느 쪽으로 이동하느냐에 의해 결정되어 온 것 또한 사실이며, 2020년 대통령선거에서 민주당 바이든 후보의 승리 역시 예외가 아니다. 이에 이 장에서는 최근 교외 지역에서 주민들의 교육수준, 인종구성, 계급구성 등에서 어떠한 변화가 이루어지고 있는지, 이러한 변화들이 2020년 대통령선거에서 교외 지역 유권자들의 정당지지 행태에 어떻게 영향을 미치고 있는지를 민주-공화 양당 간의 경쟁이 가장 치열하였던 8개 접전주의 교외 지역 유권자들의 정당지지 행태 변화를 중심으로 살펴보고, 이러한 교외 지역 유권자들의 정당지지 변화가 갖는 정치적 의미를 논의하고 있다.

2

미국의 정치적
양극화 심화

Ⅰ. 균형의 정당정치로의 변화

최근 수십년간 미국의 정치적 양극화가 심화되면서 분열과 대립이 격화되어 온 것과 관련하여 먼저 고려해야 할 것은 1930년대 루즈벨트 (Franklin D. Roosevelt) 대통령 집권기에 형성되었던 민주당 우위의 뉴딜(New Deal) 정당체계가 1960년대 이후 약화되어 1980년대를 거치면서 민주-공화 양당의 유권자 지지 규모가 대등한 균형의 정당정치 (Party Politics of Parity)로 바뀌었다는 점이다. 민주당 우위의 뉴딜 정당체계는 주로 경제적 쟁점(Economic Issue)들을 둘러싼 계급적 균열 (Class Cleavage)에 기초하고 있었다. 경제적 쟁점들에 있어 노동자, 도시 서민 등 경제적 약자의 이해관계를 반영하는 정책적 입장을 취하였던 민주당은 보다 많은 유권자들의 지지를 동원하는 데 성공함으로써 공화당에 대한 정치적 우위를 확보할 수 있었다. 하지만 장기간 지속되어 오던 민주당 우위의 뉴딜 정당체계는 1960년대 이후 나타난 미국 사회의 변화와 맞물려 약화되기 시작하였으며, 1980년대 들어오면서 이러한 변화는 더욱 뚜렷해지게 된다.

1960년대 흑인 민권운동(Civil Rights Movement)으로 인종 쟁점(Racial Issue)이 부상하면서 시작된 뉴딜 정당체계의 약화가 더욱 가속화된 것은 다양한 소수집단의 권리 신장, 여성들의 권리 신장, 환경 보호, 소비자 보호 등과 관련된 시민운동들이 확산되면서 중요해진 각종 사회적 또는 문화적 쟁점들과 같은 비경제적 쟁점들과 관련되어 있다. 인종쟁점 뿐 아니라 문화적 쟁점들에 대해서도 민주당이 진보적 입장을 취함에 따라 그동안 민주당을 지지하였지만 문화적으로 보수적 성향이 상대적으로 강한 남부 백인, 백인 가톨릭교도, 백인 노동자계급 유권자들이 민주당의 진보적 입장에 거부감을 갖게 되었고, 차츰 민주당을 이탈하게 되면서 뉴딜 정당체계의 약화는 가속화되었다.

민주당 우위 정당체계의 약화와 관련하여, 특히 1980년 대통령선거에서 공화당 레이건(Ronald Reagan) 후보의 당선은 문화적 쟁점들을 부각시켜 보수적 성향의 유권자들과의 연계를 강화시키려는 공화당의 노력이 본격화되는 출발점이라는 점에서 민주 - 공화 양당 간 힘의 균형 변화가 시작되는 상징적 의미를 갖고 있다. 더욱 거슬러 올라가자면 공화당의 이러한 변화는 이미 1964년 공화당 대통령선거후보로 당내 보수 진영을 대표하는 골드워터(Barry Goldwater)가 당내 진보 진영을 대표하는 록펠러(Nelson Rockfeller)를 누르고 선출되면서부터 시작되었다고도 볼 수 있지만, 공화당이 문화적 쟁점을 축으로 보수적 성향 유권자들과의 연계를 강화하려는 노력이 본격화된 것은 레이건 행정부 시기부터이며 이때부터 민주 - 공화 양당 간 힘의 균형 변화가 뚜렷해졌다.[1]

민주 - 공화당 간 힘의 균형 변화는 대통령선거와 의회선거의 두 수준으로 구별하여 볼 수 있는데, 대통령선거 수준에서는 이미 1968년부터 시작되었다. 1930년대 뉴딜 정당체계가 등장한 이후 치러진 대통령선거에서 1952년과 1956년 공화당의 아이젠하워(Dwight Eisenhower) 후보가 당선된 것을 제외하고는 모두 민주당이 승리하였지만, 1968년 이후 2020년까지는 14차례 치러진 대통령선거에서는 1976, 1992, 1996, 2008, 2012, 2020년 여섯 차례를 제외하고 공화당이 여덟 차례 승리하였다. 이렇듯 대통령선거 수준에서 시작된 양당 간 힘의 균형 변화는 공화당이 1994년 중간선거에서 크게 승리하여 연방의회 상, 하 양원의 다수당이 되면서 의회선거 수준으로까지 확대된 바 있다.[2]

민주당과 공화당 간 힘의 균형 변화를 유권자 차원에서 살펴보면, 1980년 레이건의 당선 이후 민주당이 20% 가까이 우위를 유지해 오던 정당일체감(Party Identification)[3]에도 변화가 시작되어 1980년대가 끝날 즈음에 정당일체감에서 민주당 우위는 3~4% 정도까지 축소되기

---

1 Axelrod 1986; Erikson et al. 1989; Stanley et al. 1986.
2 연방상원의 경우에는 이미 레이건이 당선되었던 1980년에 공화당이 다수당을 차지하여 1986년까지 상원을 장악한 바 있다.
3 정당일체감은 정당을 지지하는 유권자들이 지지하는 정당에 대해 갖고 있는 정서적 유대감으로 일단 형성되면 쉽게 변하지 않는 특성을 갖고 있으며, 미국정치에서 유권자들의 당파성을 측정하는 지표로 흔히 사용되고 있다.

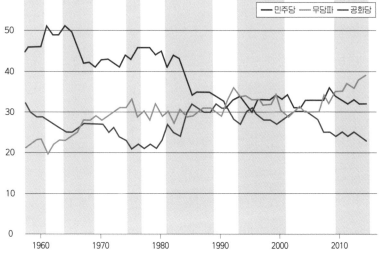

그림 2-1 미국 유권자들의 정당일체감 변화, 1960-2015

출처: Pew Research Center(2015/4/7)

에 이른다.[4] 〈그림 2-1〉은 1960년대 이후 미국 유권자들의 정당일체
감 변화를 보여주고 있는데, 특히 1980년대 이후 민주-공화 양대 정
당 간의 정당일체감 격차가 그 이전과 비교하여 10% 이내로 크게 좁
혀져 있음을 보여주고 있다. 미국 유권자들의 이러한 정당일체감 변화
는 공화당 지지자들이 상대적으로 높은 투표율을 보인다는 점을 감안
한다면[5] 사실상 선거에서 공화당이 더 이상 불리하지 않은, 양대 정당

---

4   Abramowitz 1995; Miller 1991.
5   Glaeser et al. 2005.

간의 선거경쟁이 박빙의 상황으로 진입했음을 의미하는 것이다.

이러한 민주-공화 양당 간 힘의 균형 변화는 공화당의 선거전략에도 변화를 가져와 이전의 무당파와 일부 민주당 지지성향 유권자의 지지까지 끌어내려는 전략에서 공화당 지지성향 유권자의 동원에 집중하는 전략으로 바뀌게 되는 요인으로 작용하게 된다.[6] 즉 공화당의 선거전략이 이념적으로 중도적인 유권자들에 초점을 맞추는 중도적 전략(Centrist Strategy)에서 보수적인 지지층에 집중하는 지지자 중심 전략(Base Strategy)으로 바뀌게 된 것이다. 이러한 공화당의 전략 변화는 민주당의 선거전략도 지지층에 보다 집중하는 방향으로 바뀌도록 영향을 미치게 되고 민주당의 지지층 역시 더욱 결집시키게 된다. 결국 민주당과 공화당의 지지기반이 뚜렷한 차별성을 가지게 되면서 양대 정당의 이념적, 정책적 차이가 커지게 되고, 그 결과 의회 내 정당 간의 관계가 더욱 대립적인 방향으로 변화되는 정치적 양극화를 심화시키는 중요한 요인으로 작용하였다.

6   Wattenberg 1998.

II. 문화적 쟁점의 정치화와 정당 지지기반의 변화

1930년대 형성된 뉴딜 정당체계의 정치적 갈등이 기본적으로 경제적인 쟁점들에 기초한 계급적 갈등인 데 반해 1980년대 이후 등장한 균형의 정당정치는 경제적인 쟁점들 못지않게 비경제적인 쟁점들, 특히 문화적인 쟁점들과 관련된 갈등이라는 점에서 대조적이라 할 수 있다. 또한 일정 정도 타협의 여지가 있는 경제적인 쟁점들과는 달리 문화적인 쟁점들은 비타협적인 도덕적 가치나 종교적 신념에 바탕을 두고 있어 절충이 쉽지 않기 때문에 정치적 갈등을 더욱 증폭시키는 요인으로 작용하고 있다.

뉴딜 정당체계를 동요시킨 첫 번째 비경제적 쟁점은 1950년대부터 대두되었던 인종적 쟁점이었다. 특히 흑인들의 권리 신장을 주 내용으로 하는 민권법(Civil Rights Act)의 의회 처리 문제를 둘러싸고 민주당과 공화당이 첨예하게 대립하는 형태로 전개되었다. 1964년 민권법의 의회 통과와 관련하여 민주당은 지지 입장을 분명히 하였고, 공화당은 같은 해 대통령후보 경선에서 민권법을 강하게 반대했던 당내 보수파를 대표한 골드워터가 승리함에 따라 강한 반대 입장을 취하게 되면서 민주당과 공화당 간의 인종 문제를 둘러싼 대립은 더욱 뚜렷하게 되었다. 이처럼 뉴딜 정당체계가 기초하고 있던 경제적 쟁점들을 둘러싼 계급적 갈등에 흑인 민권운동에 따른 인종 쟁점이 추가되자 남북전쟁 이후 오랫동안 민주당을 지지해 왔던 남부 백인들이 민권법에 대한 민주당의 입장에 크게 반발하면서 민주-공화 양당의 지지기반의 변화가 시작되었다.

이후 민주-공화 양당 지지기반의 변화가 가속화되는 데 큰 역할을 한 것은 개인의 생활방식(Lifestyle)을 둘러싼 문화적 쟁점의 부상이다. 이는 1960년대 후반 들어 젊은 세대 유권자들의 삶의 질(Quality of Life)을 중시하는 경향과 보다 개방적인 개인의 생활방식 실현에 대한 요구가 강해지는 것과 관련이 있다. 특히 1972년 대통령선거를 계기로 문화적 쟁점에 기초한 민주-공화 양당 간 대립이 경제 및 인종 쟁점에 기초한 정당 간 경쟁구도에 추가된다. 낙태 허용, 학교예배(School Prayer) 반대, 마리화나 합법화 등 문화적 쟁점에 있어 진보적 입장인 맥거번(George McGovern)이 1972년 민주당 대선 후보로 선출되면서 이에 대한 반작용으로 공화당은 보수적 입장을 더욱 분명하게 취하게 되었다. 그 결과 기존 민주당 지지자 중 가족적 가치(Family Value), 도덕성, 사회질서 등을 중요시하는 문화적 보수 성향의 유권자들이 새로운 쟁점들에 대한 민주당의 진보적 입장에 거부감을 갖게 되어 공화당 쪽으로 선회하게 됨에 따라 정당 지지기반의 변화는 더욱 가속화되었다.

1980년 대통령선거에서 도덕적 가치가 관련된 문제들에 있어 보수적인 성향을 갖고 있던 레이건의 등장으로 1964년 골드워터의 공화당 대통령경선 승리로부터 시작된 공화당의 보수화가 더욱 강화되면서 문화적 쟁점에 기초한 정치적 대립과 이에 따른 정당 지지기반의 변화는 한층 더 뚜렷해졌다. 레이건은 학교예배에 대한 지지와 낙태에 대한 반대 입장을 분명히 함으로써 가족적 가치들에 대한 진보적 도전에 맞서고 있다는 것을 보여주려 했고, 이러한 노력의 결과 공화당 지지자들을 결집시키고 문화적으로 보수적인 성향을 가진 민주당 지지자들을 공화당으로 끌어들이는 데 성공할 수 있었다.

레이건 대통령에 이어 1988년 대통령선거에 나선 부시(George H. W. Bush) 후보도 학교예배, 낙태 문제, 총기 소지 및 사형제도 문제 등을 부각시킴으로써 이러한 문제들에 있어 민주당의 입장과 거리가 있는 전통적 가치를 중시하는 유권자들의 입장을 대변하려고 하였다. 즉 1980년대 공화당은 문화적 문제들을 정치 쟁점으로 부각시킴으로써 문화적으로 보수적인 유권자들과의 관계를 강화시키려고 노력하였고, 이러한 공화당의 보수화에 맞서 민주당은 문화적 쟁점에 있어 더욱 진보적인 정당으로 변화되어 갔다. 1960년대 이후 민주-공화 양당의 지지기반 변화가 문화적 쟁점들에 기초하여 이루어지고 있음은 많은 경험적인 연구들에 의해서도 확인되고 있다.[7]

문화적 쟁점을 둘러싼 민주-공화 양당 간의 경쟁 심화는 특히 1990년대 이후 치러진 대통령선거와 밀접한 관련이 있다. 1992년 대통령선거에서 민주당 클린턴(Bill Clinton) 후보의 등장은 문화적 쟁점들의 중요성이 더욱 커지는 중요한 계기가 되는데, 1992년 선거에서 동성애자 권리 보호가 처음으로 중요한 이슈로 등장하였다. 동성애자 권리 보호 단체들은 인종 문제보다 동성애자 문제에 더 많은 관심을 보인 클린턴 민주당 후보에게 적극적인 지지를 보냈고 공화당은 민주당을 동성애자 당이라고 비난하였다. 클린턴의 당선으로 동성애자에 대한 차별

---

7   Rabinowitz et al. 1984; Asher 1992; Jacobson 2000; Abramson et al. 2002; Laymen et al. 2002; Weisberg 2005.

금지와 군 입대 허용 등이 정치 쟁점화되면서 동성애자 문제는 본격적 논란의 대상이 되었다.[8] 클린턴 대통령은 1995년 국가안보와 관련된 정부 부처에 동성애자의 근무를 허용하는 행정명령을 내리기도 하였는데 클린턴 행정부의 이러한 정책과 노력은 동성애자의 법적인 평등권을 보장하는 1996년 대법원의 판결을 통해 일단락되었다. 하지만 이 판결 이후 동성애의 합법성, 동성애자의 결혼과 자녀 입양 문제 등이 중요한 문화적 쟁점으로 떠올랐고 전통적인 문화와 가족제도를 중요시하는 보수적인 시민단체들의 거센 반발을 불러일으켜 정치적 양극화는 더욱 심화되었다.

2000년과 2004년 대통령선거에서 부시(George W. Bush) 후보 역시 문화적 쟁점들을 통하여 공화당이 기독교 문화에 토대한 미국적 가치를 소중히 생각하는 일반 유권자들의 정당인 반면 민주당은 일반 유권자들과는 거리가 있는 대도시 진보적 엘리트들의 정당임을 부각시키려 하였다. 특히 2004년 대통령선거는 문화적 쟁점이 정치화된 대표적인 선거인데 경제적 문제보다는 안보와 도덕적 가치를 둘러싼 논쟁이 선거 결과를 결정한 선거로 평가되고 있다.[9]

---

8 1992년 대선에서 승리한 이후 클린턴 대통령은 동성애자의 군 입대를 허용하는 발의안을 의회에 제출하였다. 그러나 동성애자 군 입대 허용에 관한 발의안은 군과 의회의 강한 저항에 부딪혀서 결국 "don't ask, don't tell, don't pursue, and don't harass"라는 타협안을 다시 내놓게 된다.

9 물론 9·11테러 이후 국가안보에 대한 유권자들의 관심이 뚜렷하게 커지면서 이라크 전쟁 및 테러와의 전쟁 등이 2004년 대통령선거에서 가장 중요한 쟁점으로 다루어졌던 것은 사실이다. 하지만 9·11테러 이후 테러에는 강력하게 대처한다는 거의 모든 유권자들의 합의가 이루어져 있는 상황에서 테러와의 전쟁에 관한 공화-민주 양당의 입장에 있어 뚜렷한 입장 차

이처럼 1990년대 이후 문화적 쟁점이 민주-공화당 간의 선거 경쟁에 있어 핵심축으로 부상하면서 정당 지지기반에 커다란 변화가 일어나게 된다. 문화적 보수성으로 인해 민주당을 이탈한 대표적인 사회집단으로는 우선 남부 백인들을 들 수 있다. 1964년 민권법이 입법화되고 남부에 거주하는 흑인들의 투표권 행사를 어렵게 했던 장애요인 제거를 목표로 했던 투표권법(Voting Rights Act)이 1965년 민주당 주도로 연방의회에서 통과됨에 따라 투표권을 행사하게 된 남부 흑인들이 민주당 지지자로 편입되자 이에 반발한 남부 백인들이 공화당 지지로 이동하면서 백인들의 민주당 이탈은 이미 시작된 바 있다. 이러한 남부 백인들의 민주당 이탈이 문화적 쟁점의 부상으로 더욱 가속화되면서 남부를 공화당 우세 지역으로 전환시키는 데 결정적으로 작용하게 되고, 이는 미국 정치의 지형을 크게 바꾸어 놓은 핵심 요인이 되었다.[10]

경제적인 쟁점에 있어서는 진보적이지만 비경제적 쟁점에 있어 대체로 보수적인 백인 노동자계급 유권자들 역시 문화적 쟁점에 기초한 민주-공화 양당 간 정치적 양극화가 시작되면서 민주당에 대한 지지가 약화되었다. 실제로 뉴딜 정당체계로의 재편성이 이루어진 1932년부터 1964년까지 민주당은 백인 노동자 계급으로부터 60% 이상의 높은 지지를 받아 왔지만 1980년, 1984년, 1988년의 세 차례의 대통령선거

이가 거의 없어 선거결과에 큰 영향을 주기는 어려웠다.

10 애브람슨 등(Abramson et al. 2005)은 이러한 남부의 지지정당 변화가 이차대전 이후 미국 정치의 가장 극적인 변화라고 말하고 있다.

에서는 43%, 35%, 40%의 지지를 받는데 그치고 있다.[11] 특히 이처럼 1980년대 들어 백인 노동자계급 유권자들이 공화당을 지지하게 된 데에는 문화적 보수 성향이 뚜렷했던 레이건 후보의 등장이 기여한 바가 크다.[12] 다음으로 주목해야 할 유권자 집단은 종교와 관련된 사회집단이다. 이는 낙태, 사형제도, 동성애자 문제 등 문화적 쟁점들이 도덕적 가치들과 관련된 문제들이고 도덕적 가치는 종교와 관련성이 높기 때문이다. 문화적 쟁점은 레이건의 등장으로 중요해졌지만 레이건이 퇴장한 1988년 대통령선거에서는 그 비중이 일시적으로 쇠퇴했다가 1990년대 들어 다시 크게 증가했다. 이처럼 문화적 쟁점의 비중이 다시 증가하게 된 데에는 공화당 내의 보수적 기독교도들의 영향력 증대와 이에 맞선 민주당 내의 진보적 또는 세속적 기독교도들의 영향력 강화가 주요인으로 작용하고 있다.[13] 실제로 개신교도 중 보수적인 복음주의 개신교도(Evangelical Protestant)와 가톨릭교도, 그리고 교파에 관계없이 종교적인 신앙심의 강도가 높아서 교회에 열심히 나가는 유권자들의 경우는 문화적 쟁점에 있어 보수적 입장인 공화당 지지가 높게 나타나고 있다.

---

11 Judis and Teixeira 2002.
12 경제적인 이해관계와 관련하여 민주당과 정당일체감을 가지고 있으면서도 1980년대 비경제적인 쟁점에서의 보수적인 입장 대문에 공화당의 레이건을 지지했던 백인 노동자계급 유권자들은 Reagan Democrat으로 불리워지기도 하였다.
13 Layman 2001.

1980년대 이전까지만 해도 기독교리에 보다 철저한 복음주의 개신
교도의 경우, 민주-공화 양당에 대한 지지에 있어서 차이가 그다지 뚜
렷하지 않았고 정치에 대한 관심도 저조하여 투표율이 다른 종교집단
유권자에 비해 상대적으로 낮은 유권자 집단이었다. 하지만 1980년대
레이건의 등장 이후 도덕적 가치와 관련된 문화적 쟁점들에 있어 공화
당이 뚜렷하게 보수적 입장을 취하면서 보수적인 성향을 갖고 있는 복
음주의 개신교도들의 공화당 지지는 빠르게 증가하였으며, 이들이 주
로 거주하고 있는 남부와 서부 지역에서 공화당의 지지기반을 강화시키
는 데 크게 기여하였다.[14] 1990년대에 이어 2000년대에 들어와서도 복
음주의 개신교도 유권자들을 동원해 내기 위한 공화당의 노력은 지속되
었다. 특히 공화당은 2000년 대통령선거 당시 유권자 투표에서 고어(Al
Gore) 민주당 후보에게 뒤졌던 이유가 많은 복음주의 개신교도들이 투
표를 하지 않았기 때문이라고 보고 2001년부터 이들 보수적인 개신교
도들의 지지를 끌어 내기 위한 노력을 집중해 왔다. 예를 들어, 부시 대
통령은 준분만 낙태(Partial-birth Abortion) 금지, 배아줄기세포 연구
(Embryonic Stem Cell Research) 금지, 오레건 주의 안락사 허용법 반
대, 동성애자 결혼을 금지하는 내용의 헌법 개정 지지 등 보수적 개신교
도들을 만족시킬 수 있는 정책적 입장들을 취한 바 있다.[15]

개신교도에 비해 미국에 이민 온 역사가 상대적으로 짧은 가톨릭교

---

14 남부와 서부 지역의 많은 주들에서 복음주의 개신교도들이 전체 유권자에서 차지하는 비율
    은 30% 내지 40%에 이르고 있다(Mellow 2005).
15 Abramson et al. 2005.

도 유권자들은 대체적으로 계급적 위상이 상대적으로 낮았기 때문에 전통적으로 민주당 지지가 강한 집단이다. 하지만 문화적 쟁점이 주요 정치쟁점으로 부상함에 따라 문화적으로 보수적 성향이 강한 가톨릭교도 유권자들의 민주당 이탈이 점차 늘어나면서 정당 지지기반 변화의 또다른 요인으로 작용하고 있다. 또한 종교적인 신앙심의 강도를 기준으로 유권자들을 종교적 집단과 세속적 집단으로 분리하여 보았을 때 종교와 관련성이 높은 도덕적 가치가 반영되어 있는 문화적 쟁점에 있어 이들 집단 간 입장은 크게 다르며 이러한 차이가 정당 지지의 차이를 가져오고 있다. 실제로 신앙심 강도의 지표로 교회예배 참석 빈도수를 사용하였을 경우 피오리나 등[16]은 1960년부터 1996년까지의 기간 중 교회예배 참석 빈도수와 공화당 지지 간의 관계가 증가하고 있음을 보여주고 있다. 즉 교회에 자주 나가는 유권자들의 경우 보수적인 공화당을 지지할 가능성이 높게 나타나고 있는 것이다.

이처럼 문화적 쟁점들이 중요한 선거 쟁점으로 부상하게 되면서 1990년대 이후 민주-공화 양당의 정당 지지기반에 미치는 영향이 커지고 있다. 문화적 쟁점에 영향을 받은 정당 지지기반의 변화와 관련하여 카우프만[17]은 문화적 쟁점 입장에 영향을 미치는 종교가 유권자들에게 중요해진 것보다는 선거에 나선 정당 후보와 같은 정치엘리트들의 문화적인 쟁점 입장이 변화했기 때문에 정당 지지기반의 변화가 일어

---

16 Fiorina et al. 2005.
17 Kaufmann 2002.

나고 있다고 본다. 하지만 이미 1972년에 민주당의 대통령 후보였던 맥거번도 문화적 쟁점에 있어 진보적인 입장을 취하고 있었지만 피오리나 등[18]이 보여주고 있는 것처럼 정기적으로 교회예배에 참석하는 유권자와 전혀 교회를 가지 않는 유권자 간의 민주당 후보 지지율의 격차는 1990년대 이후 1972년에 비해 두 배 이상 늘어나고 있다. 이는 단순히 정치엘리트들의 입장 변화만으로는 설명할 수 없고 유권자들에게 있어서도 종교나 문화적 쟁점의 중요도가 증가하고 있음도 반영되고 있다고 보아야 할 것이다.

III. 오바마의 2008년 대통령선거 승리와 티파티운동의 등장

1980년대 이후 민주–공화 양당의 지지규모가 대등한 균형의 정당정치로 바뀌면서 공화당은 감세와 작은 정부를 핵심으로 하는 경제적 문제뿐 아니라 인종, 낙태, 동성애, 학교예배, 이민 문제 등 문화적 문제들과 같은 비경제적 쟁점들에 있어 보수적 입장을 갖고 있는 다수 백인 유권자들의 지지를 동원해 내는 데 주력하였다. 이 과정에서 공화당은 보수적인 풀뿌리 대중운동과의 연계를 통하여 지지기반을 강화시키려는 노력을 해 온 바 있다. 1970년대 후반 캘리포니아 주 등 주로 서부 지역에서 일어났던 세금저항(Tax Revolt) 운동, 1980년대 도덕적 다수(Moral

---

18   Fiorna et al. 2005.

Majority), 1990년대 기독교연합(Christian Coalition), 2000년대 복음

주의(Evangelical) 개신교도 단체들과의 연대 강화는 대표적인 예들이

라 할 수 있다.

2010년 중간선거가 있기 불과 1년 전인 2009년에 등장하여 공화당

의 예비선거 및 본선거 과정에서 선거결과에 적지 않은 영향력을 행사

한 티파티(Tea Party)운동도 지난 수십년간 다양한 형태로 출현하여 미

국 정당정치 변화에 영향을 미친 바 있는 보수적인 성향을 가진, 주로는

백인 유권자들을 기반으로 하는 풀뿌리 대중운동의 연장선상에 있다고

볼 수 있다. 2008년 대통령선거에서 오바마 대통령이 집권하면서 등장

한 티파티운동은 처음에는 문화적 문제보다는 감세, 재정지출 축소, 국

가부채 축소와 같이 주로 경제적인 문제들에 집중하고 있었는데, 이는

2008년 금융위기 직후 출범한 오바마 민주당 행정부가 적극 추진하였

던 경제부양 정책 및 건강보험 제도 개혁으로 인한 대규모 재정지출과

이에 따른 증세 조치에 대한 보수적인 유권자들의 강한 거부감과 관련

되어 있다. 하지만 점차 시간이 지나면서 티파티운동은 경제적인 문제

뿐 아니라 인종문제나 문화적 문제들을 포함한 비경제적인 쟁점들에 있

어서도 보수적 입장을 분명하게 취하게 된다.

티파티운동의 특성과 관련하여, 먼저 조직적으로는 전국적으로 단일

대오를 형성한 체계적인 운동이라기보다는 지향하는 목표, 관심 쟁점,

규모 등에 있어 매우 다양한 형태의 지역적 차원의 운동이라는 특징을

갖고 있다. 티파티운동의 지도부와 관련해서도 2008년 대통령선거에

서 공화당 부통령 후보였던 페일린(Sarah Palin)과 보수매체의 토크쇼

표 2-1 티파티운동 지지자들의 특성과 정치적 태도(%)

구분	지지자	비지지자
44세 이상	70	59
백인	85	75
남성	63	45
대졸자	27	30
복음주의 개신교도	52	33
매주 교회참석자	50	36
공화당 지지자	86	32
보수적 이념	85	29
오바마 대통령 싫어함	84	27
건강보험 개혁법 반대	81	33
경제부양 정책 반대	87	41

출처: Abramowitz(2013)

사회자인 글렌 벡(Glen Beck)처럼 티파티운동을 적극 지지하는 인물들이 있지만 이들은 모두 개인적인 차원에서 티파티운동을 지지하는 이들이며 전국적인 차원에서 체계적으로 티파티운동을 지도하는 인물은 존재하지 않았다.

티파티운동 지지자들의 사회적 특성 및 정치적 태도와 관련해서, 〈표 2-1〉은 티파티운동 지지자들이 티파티운동을 지지하지 않는 유권자들과 비교하여 보았을 때 뚜렷하게 차이가 나고 있음을 보여주고 있다. 우선 티파티운동 지지자들은 백인과 남성이 상대적으로 높은 비율을 차지하고 있으며, 장년층에 많이 분포되어 있다. 그리고 티파티운동 지지자들의 교육수준은 상대적으로 낮은 것으로 나타나고 있다. 당파성과 이념성향에 있어 티파티운동 지지자들은 무당파 유권자들도 있지만 주로

표2-2 티파티운동 지지자들의 흑인집단에 대한 태도(%)

구분	지지자	비지지자
흑인이 피해자라는 데 동의하지 않음	74	39
흑인이 보상이 적다는 데 동의하지 않음	77	42
흑인이 더 열심히 노력해야 한다는 데 동의함	66	36
흑인에 대한 특혜가 없어야 된다는 데 동의함	80	48

출처: Abramowitz(2013)

는 공화당을 지지하고 보수적인 이념성향을 갖고 있는 유권자들에 집중되어 있다. 또한 보수적인 복음주의 개신교도와 종교적인 신앙심이 강한 유권자들이 높은 비율을 차지하고 있고, 특히 오바마 대통령과 그의 집권 초 대표적인 정책이었던 건강보험 개혁법과 경제부양 정책에 대한 반대가 매우 높게 나타나고 있다.

티파티운동 지지자들의 또 다른 중요한 특성은 이들이 작은 정부, 감세, 정부지출 축소, 국가부채 축소와 같은 경제적으로 보수적 입장을 취하고 있을 뿐 아니라 인종문제에 있어서도 티파티운동을 지지하지 않는 유권자들과 뚜렷한 차이를 보이고 있다는 점이다. 〈표 2-2〉에 포함되어 있는 4개의 설문 문항들은 흑인들에 대한 인종적 분노감정을 측정하기 위해 사용된 지표들인데, 표에서 보듯이 티파티운동 지지자들이 특히 흑인 집단에 대해 갖고 있는 부정적 태도를 잘 보여주고 있다. 예를 들어, 흑인들이 그동안 차별의 희생자이었는지 그리고 충분히 권리를 보호받지 못하였는지에 대하여 티파티운동을 지지하지 않는 유권자들은 각각 39%와 42%가 동의하고 있지 않지만 티파티운동 지지자들은 각각 74%와 77%가 동의하지 않고 있어 흑인집단에 대한 부정적인 태도가 특히 티파티운동 지지자들에서 압도적으로 높게 나타나고 있음을 알 수 있다. 마찬가지로 티파티운동을 지지하지 않는 유권자들 중 흑인들은 스스로 더 열심히 노력해야 하고 흑인들에게 특혜를 주어서는 안된다고 생각하는 사람들의 비율이 각각 36%와 48%인데 반하여 티파티운동 지지자들의 비율은 각각 66%와 80%로 매우 큰 차이를 보이고 있는데 이 역시 티파티운동 지지자들의 흑인집단에 대한 강한 부정적 태도를 잘 보여주고 있다.

IV. 2010년 중간선거와 티파티운동

티파티운동이 적극적으로 선거과정에 참여하였던 2010년 중간선거는 2008년 대통령선거 이후 의회와 행정부를 모두 장악한 민주당이 정책 실패에 대해 직접적인 책임을 지는 위치에 있어 공화당이 오바마 대통령의 정책들에 대하여 점증하는 비판적인 여론의 흐름을 타고 민주당 행정부를 공격할 수 있는 상황이었다. 더욱이 쉽사리 회복되지 않는 경제상황과 미국 사회에서 크게 논쟁적이었던 건강보험 개혁, 이라크와 아프가니스탄에서 지지부진한 상태로 이어지고 있는 전쟁 등이 집권 민주당에게 불리한 악재였던 반면, 공화당에게는 여론을 등에 업고 비판할 수 있는 호재로 작용하였다. 그리고 이처럼 2010년 선거에서 집권 민주당에게 비판적인 여론이 형성되는 중심에는 티파티운동이 있었다.

오바마의 개혁정책에 대한 불만, 특히 금융개혁으로 인한 정부규제 강화와 건강보험 개혁법으로 인한 재정지출의 급증은 전통적으로 정부 규제 및 재정지출 축소를 통한 작은 정부를 선호하는 보수적 성향의 유권자들로부터 부정적인 반응을 야기하였다. 더욱이 티파티운동을 지지하는 보수적인 백인 유권자들은 〈표 2-2〉에서 보았던 것처럼 흑인집단에 대한 부정적 태도를 강하게 갖고 있어 2008년 대통령선거를 통하여 등장한 최초의 흑인 대통령에 대해서도 강한 거부감을 가질 수밖에 없었다. 결국 이들 보수적인 백인 유권자들은 2010년 중간선거를 앞두고 전국 각지에 산개되어 확산되어 가던 티파티운동 조직들을 중심으로 강하게 결집하여 민주당에 매우 불리한 선거 결과로 이어졌다.

실제로 티파티운동은 2010년 중간선거에서 공화당과 연계하여 자신들의 입장을 중앙정치에서 실현해 줄 후보를 선택적으로 지지하면서 선거결과에 강력한 영향력을 행사하였다. 2010년 중간선거 결과에 미쳤던 티파티운동의 영향력을 살펴보면,[19] 티파티운동이 지지했던 후보들은 모두 공화당의 후보들이며, 선출 공직과 지역을 기준으로 구분된 티

[19] 뉴욕타임스의 조사에 따르면 2010년 중간선거에서 모두 140명의 티파티운동 지지후보들이 출마하였다. 워싱턴포스트의 조사결과는 이와 차이를 보이는데 뉴욕타임스에서 거명된 140명 이외에 34명이 추가되어 총 174명의 후보들이 티파티운동의 지지를 받은 것으로 집계되었다. 더불어 워싱턴포스트에서는 페일린(Sarah Palin)에 의해 지지되었던 후보 52명을 추가로 집계하였는데 이 중 34명은 워싱턴포스트가 집계한 티파티 지지후보들과 중복된다. 결과적으로 여기에서 사용되는 티파티 지지후보의 총 수는 중복된 34명을 제외하여 192명이 된다(New York Times 2010/10/15, Washington Post 2010/10/16).

표 2-3 티파티운동 지지후보의 2010년 중간선거 결과

구분		당선	낙선	당선율(%)
선출 공직	상원	8	6	57.1
	하원	80	90	47.1
	주지사	6	2	75.0
지역	북동부	12	22	35.3
	중서부	31	16	66.0
	남부	36	24	60.0
	서부	15	36	29.4
합계		94	98	49.0

출처: 유성진·정진민(2011)

파티 지지후보들의 선거결과는 〈표 2-3〉에 나타나 있다.

전체적으로 보았을 때, 티파티 지지후보들의 당선율은 49%로 나타났다. 이를 선출공직으로 구분지어 보면, 상원의 경우 14명의 후보 중 8명이 당선되어 57.1%의 높은 당선율을 보였으며, 하원에서는 총 170명 중 80명이 당선되어 당선율은 47.1%에 달했다. 주지사 선거에 집계된 후보들은 모두 페일린에 의해 지지된 후보들인데 8명 중 6명이 당선되어 75%라는 높은 당선율을 기록하였다.

같은 수치를 지역별로 다시 살펴보면, 티파티 지지후보들의 당선율은 중서부와 남부에서 두드러지게 높은 것으로 나타났다. 중서부에는 총 47명 중 31명이 당선되어 66%의 당선율을 기록하였고 남부 지역에서의 당선율은 60%에 달하는 것으로 나타났다. 이러한 수치는 북동부와 서부 지역으로 이동하면 상당히 낮아지는데 이들 지역에서 티파티운동 지지후보들은 각각 35.3%, 29.4%의 비율로 당선되었다.

표 2-4 **티파티 지지후보와 선거 양상: 지역별 구분**

지역	선거 양상	당선	낙선	당선율(%)
북동부	현직자 출마	9	21	30.0
	공석 선거	3	1	75.0
중서부	현직자 출마	19	14	57.6
	공석 선거	12	2	85.7
남부	현직자 출마	16	21	43.2
	공석 선거	20	3	86.9
서부	현직자 출마	7	33	17.5
	공석 선거	8	3	72.7

출처: 유성진·정진민(2011)

이와 같은 결과는 티파티운동의 영향력이 공화당의 우세지역인 남부에 비해 민주당 우세지역인 북동부와 서부에서는 강하지 않았음을 보여준다. 그러나 이보다 더 중요한 사실은 민주당과 공화당의 각축장인 중서부 지역에서 티파티운동 지지후보들이 대단히 성공적인 선거를 치렀다는 점이다. 이는 2010년 중간선거에서 공화당의 압승이 중서부 지역에서의 선전에 크게 힘입었을 뿐 아니라 이후 치러진 주요 선거들에서도 공화당이 승리할 수 있는 토대를 마련했다는 점에서 중요한 의미를 갖고 있다.

특히 〈표 2-4〉의 결과는 2010년 중간선거에서 공화당이 이전의 선거에서 패배했던 지역적 기반을 상당히 회복했으며 그 과정에서 티파티운동이 상당한 기여를 했음을 잘 보여주고 있다. 〈표 2-4〉에서 보여주고 있는 것처럼 현직자가 출마하지 않은 공석 선거에서 티파티운동 지지후보들의 성공은 지역별로 큰 차이를 보이고 있지 않지만 현직자 출마 선거구인 경우 그 차이가 크게 벌어진다.

다시 말해, 현직자가 없는 공석 선거의 경우 그 당선율이 각 지역별로 75.0, 85.7, 86.9, 72.7%로 나타나 그 차이가 두드러지지 않은 반면, 현직자 출마 선거구의 경우 북동부와 서부에서는 30.0%와 17.5%로 낮은 당선율을 보이는데 반해 중서부와 남부에서는 그 당선율이 각각 57.6%와 43.2%로 크게 높아졌다. 이와 같은 사실은 남부와 중서부에서 공화당이 티파티운동에 힘입어 많은 지역구에서 민주당 현직자들을 물리치고 크게 선전했음을 의미한다. 특히 미국 선거에서 현직자의 재선율이 90%에 육박하는 점을 고려할 때,[20] 현직자 출마 선거구에서도 티파티운동의 영향력이 상당했음을 보여준다.

V. 문화정치와 티파티운동의 정치적 함의

최근 수십년간 분열과 대립이 격화되는 미국의 정치적 변화와 관련하여 우선 주목해 보아야 할 부분은 1980년대 이후 문화적 쟁점들이 주요 정치 쟁점으로 부상하면서, 즉 문화정치가 활성화되면서 유권자들의 문화적 쟁점에 대한 입장이 이들의 정당선택에 크게 영향을 미치고 있다는 점이다. 특히 2000년대 이후 선거에서 남부 백인이나 교회에 정기적으로 나가는 종교적 신앙심이 강한 유권자들은 문화적 쟁점에 대해 보

---

20   Swain et al. 2000.

수적 입장을 갖고 정당선택에 있어 공화당 후보를 지지하는 경향이 매우 뚜렷해지고 있다.

이러한 변화는 미국의 정당 지지기반 변화와 관련해서도 중요한 의미를 가지고 있는데, 이는 1950년대부터 시작된 인종 쟁점에 추가하여 1980년대 이후 본격화된 문화적 쟁점들로 인해 일부 민주당 지지집단의 공화당으로의 이탈로 민주-공화 양당의 유권자 지지기반에 변화가 일어나고 있기 때문이다. 그리고 이러한 정당 지지기반의 변화가 기존 민주당 우위의 뉴딜 정당체계의 재편성을 야기하면서 민주-공화 양당의 지지규모가 대등한 균형의 정당정치를 초래하게 되고, 이로 인해 정당의 선거전략, 특히 먼저 공화당의 선거전략이 정당 지지자에 집중하는 방향으로 선회하고 민주당이 이러한 선거전략을 따라 가게 되면서 결국 정당 간의 이념적, 정책적 차별성이 뚜렷해지는 결과를 가져오고 있기 때문이다.

문화적 쟁점들이 민주-공화 양당 간 입장 차이가 뚜렷한 주요 정치 쟁점으로 다루어지면서 공화당은 농촌이나 준교외(Exurb)지역에 주로 많이 거주하는 문화적 쟁점들에 있어 강한 보수적 입장을 갖고 있는 종교적인 유권자집단 뿐 아니라 문화적인 보수성향이 상대적으로 강한 백인 노동자집단과 남부 백인 유권자들의 지지를 강화시켜 왔다. 반면 민주당은 대체로 교육수준이 높고 대서양과 태평양 연안에 위치한 대도시 지역에 거주하는 세속적인 유권자들과 소수 인종 유권자들의 지지를 확고하게 하고 있다. 이러한 미국 정당정치의 변화는 1990년대 들어 민주-공화 양당 간 유권자 지지규모가 대등한 균형의 정당정치가 등장하

는 결과로 이어지고 있다.[21]

  균형의 정당정치는 또한 정당 간 이념적 차별성이 뚜렷해지면서 정당 지지자들의 결집도가 커지는 정당분극화(Party Polarization)를 강화시키는 주요인이 되고 있다.[22] 실제로 2004년 대통령선거 출구조사를 활용한 애브람슨 등[23]의 연구에 따르면 공화당 및 민주당과 일체감을 갖고 있는 유권자들의 비율이 37%씩으로 같고 무당파 유권자가 26%인 것으로 나타났다. 또한 정당일체감을 갖고 있는 유권자들의 90%는 자신들의 정당일체감에 따른 투표선택을 하고 무당파 유권자들은 민주-공화당에 거의 같은 비율로 나뉘어져 투표하고 있다. 이처럼 양당 지지자와 투표자가 정확하게 양분되는 상황은 2004년 대통령선거에서 부시 대통령이 현직 대통령으로는 역사상 가장 낮은 득표율 격차인 2.5% 차이로 당선되는 결과를 가져오기도 했다.[24]

  티파티운동 역시 민주-공화 양당 간의 이념적, 정책적 차별성이 뚜렷해지는 정당분극화를 더욱 가속화시키는 데 큰 역할을 하였다. 실제로 티파티운동은 2008년 금융위기 이후 경제상황 악화가 지속되면서 민간부문에 대한 국가의 개입이 증대되고 경제위기 극복을 위한 재정

---

21 캠벨(Campbell 2005)은 1990년대 이후 등장한 균형의 정당정치를 1876년부터 1896년 기간 동안 유지되었던 균형의 정당체계와 비슷한 양상으로 보고 있다.
22 민주-공화 양당 간의 이념적, 정책적 거리가 점점 더 벌어지는 정당분극화는 미국정치 양극화의 가장 중요한 부분이다.
23 Abramson et al. 2005.
24 Ceasar and Busch 2005. 부시 이전에 미국 역사상 가장 낮은 득표율 차이로 재선된 현직 대통령은 3.2% 차이로 재선된 1916년의 윌슨 대통령이었다.

지원으로 재정적자 규모가 커지게 되자 작은 정부와 감세, 재정지출 축소 등을 기치로 내세워 앞에서 본 것처럼 공화당의 2010년 중간선거 승리에 크게 기여한 바 있으며, 이 과정에서 민주-공화당 정치인들 간의 이념성향을 더욱 차별화시키는 결과를 가져왔다.

티파티운동이 중장기적인 민주-공화당 간 힘의 균형에 미치게 될 영향과 관련하여 고려해 볼 수 있는 또 다른 요인은 티파티운동의 원주민주의(Nativism)적 특성이다. 이와 관련하여 티파티운동이 지역별로 지향하는 목표, 관심 쟁점 등에 있어서는 매우 다양하지만 미국의 전통적 가치 수호를 강조하는 등 소위 비미국적(un-American) 요소에 대한 강한 거부감이라는 면에서는 폭넓은 공감대가 형성되어 있다는 데 주목할 필요가 있다. 티파티운동의 이러한 특성은 이 운동이 주로 백인들에 의해 주도되고 있는 것과도 무관하다고 볼 수 없고, 이 점에 있어서는 덴마크, 네덜란드, 프랑스, 오스트리아, 스웨덴 등 많은 유럽국가에서 적지 않은 지지를 확보하고 있는 반외국인 정서가 강한 대중영합주의적(Populist) 우파 정당들과도 유사한 측면이 있다. 그리고 이러한 티파티운동의 원주민주의적 특성은 이후 공화당의 이념, 특히 이민정책과 관련된 입장에 크게 영향을 미치게 된다. 특히 티파티운동의 영향으로 강화된 공화당의 강력한 반이민 정책이 민주당과 정당일체감을 가지고 있으면서도 1980년대 이후 자주 민주당을 이탈하였던 백인 노동자 계급 유권자들의 강한 반이민 정서와 부합하면서 이들의 보다 많은 공화당 지지를 확보할 수 있게 되었고 이를 통해 공화당 지지기반의 외연이 크게 확대될 수 있는 토대가 마련되었다는 점에서 중요한 정치적 함의를 갖고 있다.

이러한 공화당 지지기반의 변화는 지역적인 정당지지 변화에도 반영되어 나타나고 있다. 1980년대 이후 남부 지역이 공화당의 공고한 지지기반으로 변화한 데 더하여 2010년 중간선거에서 중서부 등 비남부 지역에서도 공화당이 지지기반의 외연을 확대하는 데 성공하였는데, 이러한 공화당 지지기반의 외연 확대는 2016년 공화당의 대통령선거 승리의 토대가 되고 있다. 실제로 2016년 대통령선거에서 공화당 트럼프 후보의 승리에 결정적으로 기여하였던 미시간, 위스컨신 등 중서부 주들과 펜실베이니아 주는 바로 2010년 중간선거에서 공화당의 지지기반의 외연이 확대되었던 주들이었고, 특히 트럼프의 강력한 반이민 정책이 이들 지역의 백인 노동자 유권자들의 반이민 정서에 호소력을 가졌던 것이 트럼프의 승리에 결정적으로 기여했던 바 있다.

티파티운동의 등장과 관련하여 더욱 주목해 보아야 할 부분은 티파티운동의 등장이 그동안 지속되어 온 미국정치의 양극화에 적지 않은 영향을 미치고 있다는 점이다. 다수의 티파티운동 참여자들은 자신들이 주장하고 있는 작은 정부, 감세, 정부지출 축소, 재정적자 축소 등의 원칙과 관련해서는 일체의 타협이 있을 수 없으며 이러한 원칙을 지키지 않는 공화당 후보들의 경우에는 선거 과정에서 책임을 묻겠다는 입장을 취하였다. 실제로 2010년 중간선거에서 보다 보수적인 공화당 의원들이 의회 진입에 성공한데 반해, 2010년 중간선거의 가장 큰 피해자들은 중도성향의 민주당 의원들이라고 일컬어질 정도로 중도 성향의 민주당 의원들이 대거 낙선한 바 있다.[25] 이러한 결과 역시 보다 진보적인 민주당과 보다 보수적인 공화당의 구도를 더욱 강화함으로써 정당 간 대립이 더욱 격화되고 의회 내 의사결정 과정의 정체, 즉 입법정체(Legislative Gridlock)로 이어지기 쉬운 상황을 초래함으로써 미국 정치의 양극화를 더욱 심화시키는 요인으로 작용하고 있다. 이러한 티파티운동 지지자들의 민주당 행정부 및 민주당 정책에 대한 대결지향적 입장(No-compromise Stance)과 공화당 후보선출 과정과 본선거 과정에서 지속적인 영향력 행사는 미국정치의 양극화를 더욱 가속화시키는 데에 크게 기여하고 있다.[26]

결론적으로 1990년대 이후 정치적 양극화가 심화되고 있는 데에는 민주당 우위의 뉴딜 정당체계를 대체하여 민주-공화 양당 간 균형의 정당정치가 등장한 것이 중요하게 작용하고 있다고 본다. 유권자 지지 규모가 대등한 상황에서 정당들에게는 무당파나 상대당 지지 유권자로부터 지지를 얻는 것보다 자당 지지자의 투표율을 최대한 끌어 올리는 것이 선거 승리의 관건일 수밖에 없다. 그리고 이러한 균형의 정당정치는 문화적 쟁점의 정치화와 이로 인해 남부 백인들 뿐 아니라 도덕적 가치와 관련된 문제들에 있어 보수적인 백인 유권자들의 민주당 이탈이 1990년대 이후 가속화되면서 더욱 촉진되고 있다. 또한 오바마의

---

25 오바마의 건강보험 개혁에 반대한 34명의 민주당 의원들 중 17명이 2010년 중간선거에서 공화당의 티파티운동 지지후보들에 패배하여 낙선하였으며, 이러한 결과는 민주당의 진보 성향을 더욱 강화시키는 또 다른 요인이 되고 있다.
26 또한 티파티운동 지지자들의 이러한 대결지향적 입장은 티피티운동과 티피티운동의 지지를 받아 의회에 진입한 의원들이 기존 공화당 의원 및 당지도부 등 주류 공화당(Establishment Republican)과 갈등을 야기하는 주요 요인으로 작용하고 있다.

2008년 대통령선거 승리 이후 등장한 티파티운동으로 공화당의 보수화가 더욱 가속화되고 이에 대한 반작용으로 민주당의 진보적인 입장이 강화되면서 미국정치의 양극화, 특히 민주-공화 양당의 이념적, 정책적 차별성과 지지자들의 결집도가 커지는 정당분극화가 더욱 심화되고 있다고 볼 수 있다.

3

정당분극화의 심화와
2012년 대통령선거

정당의 지지기반과 정치적 성향 및 정책적 입장의 차별성이 강화되는 미국의 정당분극화는 특히 근소한 격차의 선거가 반복되고 있는 2000년대 들어오면서 더욱 심화되고 있는데, 이처럼 심화된 정당분극화는 선거과정 뿐 아니라 선거 이후의 국정운영 과정에도 지대한 영향을 미치고 있어 미국정치 양극화의 핵심 부분을 이루고 있다.[1] 이 장에서는 미국의 정당분극화와 관련하여 주로 유권자수준 정당[2]에 초점을 맞추어 먼저 정당분극화가 심화된 배경을 살펴보고자 한다. 다음으로 정당분극화가 심화되면서 실제로 정당의 지지기반 및 유권자들의 이념

1   Abramowitz and Saunders 2008; Ceasers and Busch 2005; Fiorina et al. 2005, 2008; Greenberg 2004; Jacobson 2000; Levendusky 2010.

2   Party in the Electorate. 유권자와의 더욱 직접적인 소통을 중시하는 최근 정당정치 추세를 감안하여, 여기에서 말하는 유권자수준 정당은 키이 등(Key 1964; Mair 1994; Sorauf 1968; Wattenberg 2000)이 언급하고 있는 정당지지자 뿐 아니라 최근의 주요 선거에서 정당에 투표한 유권자들도 포함한다(정진민 2018).

적 성향과 정책적 입장의 차이가 2012년 미국 대통령선거에서는 어떻게 나타나고 있는지를 2000년 이후 치러진 다른 대통령선거들과 비교하여 논의하고자 한다. 또한 미국의 정당분극화가 진행되고 있는 상황에서 최근 들어 그 수가 늘어나고 있는 무당파 유권자들은 민주당 지지자나 공화당 지지자와 같은 당파적 유권자들과 비교하여 정책적 입장뿐 아니라 국정운영 방식과 관련하여 어떻게 다른 태도를 보이고 있는지를 살펴보고, 마지막으로 당파적 유권자들과는 다른 정치적 성향을 갖고 있는 무당파 유권자의 증가가 어떠한 정치적 함의를 갖고 있는지를 논의하고자 한다.

I. 정당분극화의 심화 배경

1990년대 이후 미국정치의 양극화가 심화되고 있는 데에는 2장에서 논의했던 것처럼 무엇보다도 민주-공화 양당의 유권자 지지규모가 비슷한 균형의 정당정치가 유지되고 있는 것과 밀접한 관련이 있다. 균형의 정당정치가 이루어지면서 공화당은 이전처럼 보다 광범위한 유권자 지지를 얻으려 하기보다는 공화당 지지자들의 지지를 동원해 내는 데 보다 집중하는 지지자 중심 선거전략을 구사하게 되고,[3] 이에 따라 공화당의 보수적 정책 입장은 더욱 강화되었다. 이에 대응하여 민주당의 정책

3   Wattenberg 1998.

표 3-1 미국 대통령선거에서의 당파적 투표 비율(%)

구분	1992	1996	2000	2004	2008	2012
민주당 지지자	77	84	86	89	89	92
공화당 지지자	73	80	91	93	90	93

출처: New York Times 해당년도 출구조사 자료

적 입장 역시 보다 진보적인 방향으로 변화되면서 민주당 지지자들의 선거참여를 독려하는 방향으로 집중하게 되었다.

이처럼 1980년대 이후 민주-공화 양당이 대등한 규모의 지지집단을 확보하게 되면서 각 정당이 선거 승리를 위하여 자신들의 지지집단에 집중적으로 지지를 호소하여 이들의 단합을 이루어내려는 유인이 보다 커지게 됨에 따라 미국의 정당정치는 점차 분극화되는 경향을 보여 왔다. 즉 주요 경제적, 사회적 쟁점들에 있어 민주당과 공화당이 경쟁적으로 지지집단의 요구에 부합하는 정책적 입장을 취하게 되고 이와 관련된 상징들을 활용하여 지지자들을 동원해 내는 데 점점 더 주력하게 된 것이다. 이는 양대 정당의 유권자 지지규모가 비슷한 상황에서 이러한 방식의 선거운동이 선거에서의 승리 가능성을 높일 수 있다고 보기 때문이다. 그 결과, 〈표 3-1〉에서 보듯이 대통령선거에서 유권자들이 정당일체감을 갖고 있는 정당의 대선후보에 투표하는, 즉 정당지지자들의 당파적 투표행태는 더욱 강화되고 있다. 실제로 〈표 3-1〉은 1992년 대통령선거에서 70%대였던 당파적 투표 비율이 20년이 지난 2012년 대통령선거에서는 90%대까지 크게 증가하고 있음을 보여주고 있다.

균형의 정당정치를 가져온 주요 요인이기도 했던 민주-공화 양당의 지역적인 기반의 변화 역시 정당분극화를 심화시키는 데 크게 기여하고 있다. 특히 남북전쟁 이후 오랫동안 민주당을 지지해 왔던 보수적 성향의 남부지역 백인 유권자들이 흑인 민권운동에 따른 인종쟁점을 비롯하여 낙태 등 사회적 쟁점에 있어 뚜렷하게 진보적 입장을 취하는 민주당으로부터 대거 공화당 지지로 선회하면서, 이제 남부지역은 공화당의 가장 강력한 지역적 기반이 되었다.[4] 남부지역의 이러한 정당지지 변화는 민주당 내 보수적 분파의 힘을 크게 약화시킴으로써 민주당 정책의 진보화를 촉진하고 있다[5]. 반면에 상대적으로 진보적 성향이 강한 북동부 지역 내 공화당의 기반 역시 크게 약화되었는데, 이는 보수적 성향이 강한 남부지역이 공화당의 중요한 지역적 기반으로 편입되는 것과 맞물러 공화당 정책을 더욱 보수화시키는 주요 요인으로 작용하고 있다.

2장에서 논의했던 것처럼 1980년대 레이건 집권 이후 강화되고 있는 종교적 균열 역시 정당분극화 심화의 또 다른 중요한 원인이 되고 있다. 특히 1990년대 이후 낙태, 동성결혼, 학교예배 문제 등 사회적인 쟁점들과 관련하여 보수적인 성향이 강한 복음주의 개신교도 유권자 집단의 공화당에 대한 영향력이 크게 강화되어 왔다. 이와는 대조적으로 세속화된 또는 비종교적인 유권자들이 민주당의 점차 더 중요한 지지집단이

---

4   미국 남부 지역에서의 정당 지지기반 변화에 관한 상세한 논의는 정진민(2000), 최준영(2007)을 참조.

5   연방하원 민주당 내 주로는 남부지역 출신 보수적 의원들의 단체인 Blue Dog은 그 수가 계속 줄어들고 있는데 2012년 연방하원 선거에서도 24명 중 10명이 낙선하면서 14명으로 크게 줄어들고 있다(Washington Post, 2012/11/25).

되고 있으며, 이는 민주-공화 양당 간의 정책적 입장, 특히 사회적 쟁점들과 관련하여 양당 간의 입장 차이를 강화시키고 있다.[6]

현재 미국 사회에서 진행되고 있는 또 다른 중요한 변화 중 하나는 유권자 집단의 인종구성 비율이 크게 바뀌고 있다는 점이다. 즉 백인 유권자의 비율이 지속적으로 줄어들고 있는 반면 비백인 유권자, 특히 히스패닉계 유권자의 비율이 빠르게 증가하고 있다.[7] 이러한 인종적 구성비율의 변화와 맞물려 인종집단 간 정치적 균열 역시 심화되고 있는데, 공화당이 백인 유권자, 특히 백인 남성 유권자 집단에서 크게 우위에 있는 것과는 대조적으로 민주당은 흑인이나 히스패닉계 유권자들과 같은 비백인 유권자 집단에 그 지지가 집중되어 있다. 이러한 민주-공화 양당 지지집단의 인종적 차이도 정당분극화를 심화시키는 또 다른 중요한 원인이 되고 있다. 이는 민주-공화 양당 지지집단의 인종적 차이가 백인 유권자들과 비백인 유권자들 간의 소득격차로 인하여 경제적 쟁점들과 관련해서 양당 간 입장 차이를 강화시키고 있을 뿐 아니라, 특히 이민정책과 같은 비경제적 쟁점에 있어서의 입장 차이에도 커다란 영향을 미

---

6 Pew Forum(2012) 조사 자료에 따르면 무종교 유권자들의 비율은 2012년 20%에 달하고 있으며, 이처럼 무종교 유권자들의 비율이 크게 증가하면서 미국 역사상 최초로 다수 종교집단인 개신교도의 비율이 전체 인구의 과반수 이하로 떨어져 48%까지 줄고 있다. 특히 젊은 세대에 있어 무종교 유권자들의 비율이 크게 늘고 있어 시간이 지나면서 전체 유권자에서 무종교 유권자들이 차지하는 비율은 지속적으로 증가할 가능성이 많다.

7 최근 미국의 히스패닉계 인구 증가는 괄목할 만한데 2001년 약 3700만명으로 전체 인구의 13%를 차지함으로써 흑인집단을 앞질러 최대의 소수인종 집단으로 부상한 이후 2012년 약 5300만명까지 증가하여 전체 인구의 17%를 차지하고 있다(Taylor et al. 2012). 지금과 같은 높은 출산율과 이민자 유입 추세가 지속된다면 21세기 말에는 미국 인구의 절반을 넘어설 거라는 전망까지 있다(Grant 2004).

치고 있기 때문이다.

또한 2장에서 살펴보았던 2010년 중간선거에서 위력을 발휘한 바 있는 보수적 성향이 강한 티파티운동 단체들이 예비선거나 본선거 과정에 적극적으로 개입하면서 공화당에 대한 영향력을 강화하여 온 것도 정부의 역할이나 감세 등과 같은 주요 쟁점들에 있어 공화당의 입장을 더욱 보수화시키고 있으며 이 역시 정당분극화를 심화시키는 데 적지 않게 기여하고 있다. 이처럼 정당의 선거전략 변화, 남부지역의 정당지지 변화, 정당지지에 미치는 종교적 균열의 영향력 강화, 유권자집단의 인종 구성 비율 변화 및 인종집단별 정당지지의 차별성 강화, 보수적인 티파 티운동 단체들의 정치적 영향력 강화 등이 민주-공화 양당 지지자들의 이념적인 성향에 있어 차별성을 더욱 뚜렷하게 만들고 있다.

퓨 리서치(Pew Research Center 2012) 조사 자료에 따르면 실제로 공화당과 일체감을 갖고 있는 유권자 중 보수적인 이념성향을 갖고 있는 유권자의 비율은 2000년 이후 지속적으로 증가하여 2012년에는 68%에 달하고 있다. 이와 같이 보수적인 공화당 지지자가 증가하고 있는 것처럼 민주당 지지자들의 진보적인 이념성향 또한 증가하고 있는데, 민주당과 일체감을 갖고 있는 유권자 중 진보적인 이념성향을 갖고 있는 유권자의 비율 역시 계속하여 늘어나 2012년에는 39%에 달하고 있다. 하지만 공화당 지지자들의 보수적인 이념성향과 민주당 지지자들의 진보적인 이념성향이 각각 늘어나고 있는 것과는 대조적으로 전체 유권자들의 이념적인 성향은 크게 변화하지 않고 안정적으로 유지되고 있는 것은 주목할 필요가 있다. 즉 전체 유권자들의 이념성향 분포는 크게 변화하고 있지 않는 상황에서 이념성향에 따른 결집 또는 이탈로 인하여 민주-공화 양당 지지자들의 이념적 동질성이 한층 더 강화되고 있는 것이다.

이처럼 더욱 강화되고 있는 민주-공화 양당 지지자들의 이념적인 성향이 경제적인 또는 사회적인 주요 쟁점들에 있어 양당이 보다 선명한 정책적인 입장을 갖도록 만들고 있으며, 이는 결국 민주당과 공화당 간의 정책적인 입장 차이를 한층 더 두드러지게 함으로써 미국의 정당분극화를 더욱 심화시키는 요인으로 작용하고 있다.

II. 정당 지지기반의 차이

민주-공화 양당의 지지기반은 최근 들어 더욱 뚜렷하게 차별성을 보이고 있는데, 정당의 지지기반의 차이는 특히 인종, 종교, 이념, 세대, 소득수준 등을 기준으로 살펴보았을 때 뚜렷하게 나타나고 있다. 가장 분명한 지지기반의 차이는 인종집단별 정당지지에서 나타나고 있다. 퓨리서치(Pew Research Center 2012) 조사 자료에 따르면 히스패닉 유권자들의 공화당과 민주당에 대한 지지비율은 각각 11%와 32%로 민주당이 세 배에 달하는 큰 폭의 우위를 보이고 있다. 히스패닉 유권자를 제외한 백인과 흑인 유권자들 중에서 공화당 지지자는 각각 32%와 5%인 반면 민주당 지지자는 각각 26%와 69%를 점하고 있어, 흑인 유권자들의 지지를 민주당이 거의 독점하고 있지만 백인 유권자들 중에서는 공화당이 6% 우위에 있다. 결국 민주당은 백인 유권자 집단에서 열세에 있지만 대표적인 소수인종 집단인 히스패닉과 흑인 집단에서 공화당과 비교하여 압도적으로 우세한 지지를 확보하고 있다.

민주당이 압도적으로 우세한 소수 인종집단을 제외한 백인 유권자들의 종교적인 배경과 관련하여 먼저 복음주의가 아닌 일반 개신교도들에 있어 공화당 지지자 31%, 민주당 지지자 26%로 공화당이 5% 우위에 있다. 하지만 보수적인 성향이 강한 복음주의 개신교도들 중에서 민주당 지지자들은 17%에 불과한 반면 공화당이 49%의 지지를 점하고 있어 절대적인 우위에 있다. 오랫동안 민주당 지지가 우세했던 백인 가톨릭 교도들의 정당지지에도 변화가 있는데 2012년 현재 공화당 지지자 30%, 민주당 지지자 28%로서 오히려 공화당이 약간 앞서고 있지만 큰 차이는 보이고 있지 않다. 이와는 대조적으로 최근 그 수가 빠르게 증가하고 있는 무종교 유권자들의 절반 가량은 지지하는 정당이 없는 무당파 유권자들이지만 정당을 지지하는 무종교 유권자들 중에서는 민주당 지지자 32%, 공화당 지지자 12%로 민주당이 크게 앞서고 있다.

유권자들의 이념적 성향과 관련해서는 2012년 진보적, 중도적, 보수적 유권자가 각각 22%, 37%, 36%로 2000년대 들어온 이후 큰 변화를 보이고 있지는 않다. 하지만 민주당 지지자 중 진보적인 이념성향을 갖고 있는 유권자의 비율은 2000년 27%에서 2006년 30%, 2012년 39%로 지속적으로 늘고 있다. 마찬가지로 공화당 지지자 중 보수적인 이념성향을 갖고 있는 유권자의 비율은 2000년 59%에서 2006년 63%, 2012년 68%로 계속하여 증가하고 있다. 한 가지 흥미있는 것은 진보적 성향의 유권자 중 민주당의 비율 증가와 비교하여 보수적 성향의 유권자 중 공화당 지지자의 비율은 상대적으로 적게 증가하고 있지만 중도 내지 진보적 성향의 유권자 중 공화당 지지자는 감소하고 있어 공화당 지지자 내에서의 보수적 성향의 유권자의 비율이 상대적으로 증가하고 있다는 점이다.

상이한 성장경험을 중시하여 출생년도에 기초한 연령집단, 즉 출생집단(Birth Cohort) 또는 세대(Generation)별로 미국 유권자들을 나누어 보았을 때에도 의미있는 차이가 나타나고 있다. 1930년대 루즈벨트 대통령 집권기에 성장한 민주당 지지성향이 강한 뉴딜 세대(New Deal Generation), 1946-1964년 기간 중 출생하여 1960,70년대의 격동기에 성장한 진보적 성향의 베이비 붐 세대(Baby Boom Generation), 1965-1980년 기간 중 출생하여 1980년대 레이건 대통령 집권기에 성장한 상대적으로 보수적이면서 공화당 지지성향이 강한 베이비 버스트 세대(Baby Bust Generation), 1981-1994년 기간 중 출생하여 2000년대 이후, 특히 오바마 대통령 집권기에 성장하면서 민주당 지지성향이 상대적으로 강한 밀레니얼 세대(Millennial Generation) 모두에서 민주당이 앞서고 있다. 특히 베이비 붐 세대와 베이비 버스트 세대에서의 민주-공화 양당에 대한 지지도가 5%내지 7%의 근소한 차이를 보이고 있는 것과는 달리 밀레니얼 세대 유권자들 중에서는 공화당 지지자 18%, 민주당 지지자 31%로서 민주당이 큰 폭의 우위를 점하고 있다.

소득수준 및 교육수준과 관련해서도 대략 연소득 5만 달러를 기준으로 하여 저소득층의 민주당 지지 우세와 고소득층의 공화당 지지 우세 추세가 유지되고 있으며, 대졸자의 공화당 지지와 고졸 이하의 저학력자와 대학원 이상의 고학력자에서의 민주당 지지가 우세를 보이고 있는 추세도 유지되고 있다. 요약하자면 공화당의 지지기반은 지역적으로 남부지역 집중이 강화되고 있고, 이념적으로 보다 보수화되고 있으며 복음주의 개신교도나 티파티운동 단체들의 당내 영향력이 더욱 강화되고 있는 반면,[8] 민주당은 흑인이나 히스패닉 유권자들과 같은 비백인 유권자들의 지지가 보다 공고화해지고, 이념적으로 보다 진보화되고 있으며 무종교 유권자와 젊은 세대 유권자 집단에서 지지가 강화되고 있다.

이처럼 강화되고 있는 민주-공화 양당의 지지기반 차이는 2000년 이후 치러진 대통령선거에서 유권자들이 보여준 투표행태로 확인되고 있는데, 2012년 미국 대통령선거에서도 주요 유권자 집단의 민주-공화 양당에 대한 지지도 차이는 뚜렷하게 나타나고 있다. 〈표 3-2〉를 통하여 2004년부터 2012년까지 치러진 세 차례의 대통령선거에서 유권자들이 보여준 투표행태를 중심으로 살펴보면 지금까지 논의한 양당의 지지기반 차이가 잘 반영되어 나타나고 있음을 확인할 수 있다. 즉 2012년 대통령선거를 포함하여 최근 치러진 세 차례의 미국 대통령선거에서 성별, 인종, 연령집단, 소득수준, 종교 등을 기반으로 하는 유권자집단별 민주-공화 양당 간의 뚜렷한 지지도 격차가 지속되고 있음을

---

8   티파티운동에 대한 지지도에 있어 공화당 지지자와 민주당 지지자는 각각 67%와 18%로 커다란 차이를 보여주고 있다(Washington Post-Kaiser Family Foundation Poll 2012).

표3-2 2004-2012 대통령선거에서의 민주-공화당 지지기반의 변화(%)

구분		2004	2008	2012	2004-2012 평균
성별	남성	-11	4	-4	-3.7
	여성	3	12	10	8.3
인종	백인	-17	-10	-18	-15
	흑인	77	90	86	84.3
	히스패닉	15	34	42	30.3
	아시안	12	24	46	27.3
연령집단	18-29세	9	30	20	19.7
	30-44세	-7	4	6	1
	45-64세	-3	2	-2	-1
	65세 이상	-8	-9	-12	-9.7
연소득수준	3만 달러 미만	19	30	26	25
	3만-5만 달러	1	10	14	8.3
	5만-10만 달러	-12	0	-6	-6
	10만 달러 이상	-17	0	-8	-8.3
종교	유대교	49	57	39	48.3
	가톨릭	-5	8	3	2
	개신교	-19	-9	-13	-13.7
	백인 복음주의 개신교	-57	-50	-57	-54.7
	무종교	36	52	45	44.3

각 유권자집단 양의 백분율은 민주당 우위를, 음의 백분율은 공화당 우위를 표시함.

출처: New York Times 해당년도 대통령 선거 출구조사 자료 및
Pew Forum on Religion & Public Life(2012/10/9)

확인할 수 있다. 특히 백인과 비백인, 복음주의 개신교도와 무종교 유권자 집단 간의 정당 지지도 차이가 매우 큰 폭으로 유지되고 있으며, 비백인 유권자 중 히스패닉계 및 아시아계 유권자의 민주당 지지도가 지속적으로 크게 증가하고 있음은 주목할 필요가 있다.

2012년 대통령선거를 포함하여 2000년 이후 치러진 세 차례의 대통령선거에서 나타나고 있는 주요 유권자 집단별 민주-공화 양당에 대한 지지도 평균 격차는 그 이전에 치러진 세 차례(1992, 1996, 2000년) 대통령선거에서의 평균 격차와 비교하여[9] 그 폭이 대체로 더욱 커지고 있으며, 2012년 대통령선거에서 보여주고 있는 양당에 대한 유권자 집단별 지지도 격차는 대부분 2004-2012년 평균 격차를 상회하고 있다. 이러한 결과는 시간이 지나면서 민주-공화 양당을 지지하는 주요 유권자 집단 간의 차별성이 강화되고 있음을 보여주는 것이다.

III. 정당 지지자들의 정책적 입장 차이

민주-공화 양당을 지지하는 유권자집단 간의 차별성이 뚜렷해지면서 양당 지지자들의 주요 정책과 관련된 입장에 있어서의 격차 또한 커지고 있다. 퓨 리서치(Pew Research Center 2012) 조사 자료에 따르면 1987-2012 기간 중 정치적 성향이나 정책적 입장에 있어 민주-공화당 지지자 간의 평균 격차가 1987년 10%에서 2012년 18%로 크게 벌어졌다. 특히 최근 10년 동안, 즉 2002년부터 2012년 사이에 민주-공화당 지지자 간의 격차는 더욱 커졌다. 〈그림 3-1〉은 민주-공화 양당

9   1992년부터 2000년까지 치러진 대통령선거에서 주요 유권자 집단별 민주-공화 양당 간의 지지도 격차에 대하여는 임성호(2005: 97)를 참조.

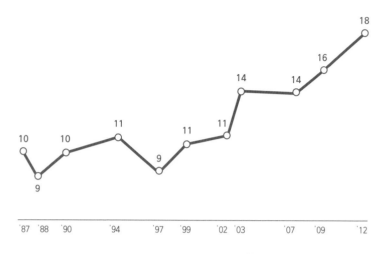

그림 3-1 민주-공화당 지지자들의 정치적 성향 및 정책적 입장 차이(%)

출처: Pew Research Center(2012)

지지자들 간의 정치적 성향이나 정책적 입장이 어떻게 변화되고 있는지

를 알아보기 위하여 48개 항목의 정치적 성향이나 정책적 입장 차이의

평균 백분율을 보여주고 있는데 지난 25년간 그 차이는 뚜렷하게 커지

고 있다.[10]

정치적 성향이나 정책적 입장 중 민주-공화당 지지자 간의 격차가

특히 큰 분야는 정부의 역할, 사회안전망, 환경보호에 대한 규제, 기회

의 균등, 노조 또는 기업에 대한 태도, 보수적 가치, 종교에 대한 태도,

---

10 민주-공화 양당 지지자들의 정치적 성향과 정책적 입장 차이를 확인하기 위해 사용된 48개
    항목의 구체적 내용에 관하여는 퓨 리서치(Pew Research Center 2012) 조사 자료를 참조.

불법이민자 규제 등이다. 이 중 사회안전망, 환경보호에 대한 규제, 노조의 역할에 대한 태도에서의 격차 확대는 주로 공화당 지지자들의 입장이 더욱 보수적인 방향으로 변화되어서이다. 또한 기회의 균등, 종교에 대한 태도, 불법이민자 규제에 대한 입장에서의 격차 확대는 주로 민주당 지지자들의 입장이 더욱 진보적인 방향으로 변화되어서이며, 정부의 역할, 기업에 대한 태도, 보수적 가치 등에서의 격차 확대는 민주-공화 양당 지지자들의 입장이 동시에 각각 더욱 진보적 또는 더욱 보수적인 방향으로 변화되어서이다.[11]

민주-공화 양당 지지자들의 정치적 성향이 크게 차이가 나는 분야는 크게 경제적 분야와 사회적 분야로 나누어 볼 수 있다. 먼저 경제적 분야에 있어서는 정부의 역할, 정부 규제, 재정적자 등의 문제가 대표적으로 차이가 나고 있는 분야이다. 사회적 분야에 있어서 민주-공화 양당 지지자들이 크게 대립하고 있는 분야는 정치와 종교와의 관계 및 전통적인 도덕이나 가치를 둘러싼 문제들이다.

경제적 분야에 있어서 민주-공화 양당 지지자들 간의 정치적 성향의 차이를 가져오는 첫 번째 부문은 정부의 역할과 관련하여 정부의 크기와 범위에 관한 문제이다. 즉 보다 많은 대국민 서비스를 제공하는 큰 정부를 지향할 것인지, 아니면 상대적으로 적은 서비스를 제공하는 작은 정부를 지향할 것인지의 문제이다. 다음으로 정부의 기업규제, 시장규제를 보다 강화시킬 것인지, 아니면 최소화할 것인지의 문제이다. 또

11   Pew Research Center 2012: 21-23.

표 3-3   민주-공화당 지지자와 무당파 유권자의 경제적 분야 정치적 성향(%)

구분	작은 정부	큰 정부	규제 찬성	규제 반대	재정 확대	적자 축소
민주당	30	65	65	29	73	25
무당파	61	32	48	45	42	53
공화당	80	18	30	64	24	73

출처: Washington Post-Kaiser Family Foundation Poll(2012/7/25-2012/8/5)

한 현재 연방정부가 안고 있는 막대한 재정적자가 더 이상 커지는 것을 막기 위하여 정부의 재정지출을 줄여 나갈 것인지, 아니면 경기를 부양하여 일자리를 창출하고 사회 취약계층 지원을 위하여 필요한 정부지출을 확대할 것인지의 문제이다. 〈표 3-3〉은 경제적 분야의 주요 정치적 성향에 있어서 민주당과 공화당 지지자들이 뚜렷하게 차이가 나고 있음을 잘 보여주고 있다.

사회적 분야에 있어서 민주-공화 양당 지지자들 사이에 정치적 성향이 크게 차별성을 보여주고 있는 첫 번째 부문은 변화하는 사회적, 문화적 관행이나 관습에 맞추어 전통적인 도덕이나 가치의 규범과 기준을 바꾸고 적응시켜 나갈 것인지, 아니면 미국 사회의 전통적인 도덕이나 가치 규범을 지켜야 할 것인지의 문제이다. 다음으로 기존의 윤리적 규범이나 기준에 크게 벗어나는 행위나 행태에 대한 현재 미국 사회의 관용의 정도가 과도한 것인지, 아니면 적절한 것인지의 문제이다. 또한 정치와 종교의 분리 원칙에 따라 종교가 정치의 영역에 개입해서는 안되는 것인지, 아니면 종교적인 믿음을 정치의 장에서도 밝히고 관련된 정책에도 반영시켜야 되는 것인지의 문제이다. 사회적 분야의 주요 정치

표 3-4 민주-공화당 지지자와 무당파 유권자의 사회적 분야 정치적 성향(%)

구분	가치 변화	가치 고수	관용 과도	관용 적절	종교 배제	종교 개입
민주당	61	37	53	44	62	35
무당파	47	52	57	40	59	38
공화당	27	71	77	20	38	60

출처: Washington Post-Kaiser Family Foundation Poll(2012)

적 성향에 있어 민주-공화 양당 지지자들 사이에 커다란 차이가 있다
는 것은 〈표 3-4〉를 통하여 확인할 수 있다.

결국 경제분야에 있어 민주당 지지자들은 의료 등에 있어 더 많은 공
공서비스를 제공하고 환경보호를 위한 정부규제, 또는 금융기관이나
기업의 과도한 이윤추구 및 경제력 집중에 대한 정부규제가 더욱 강화
될 필요가 있다고 보는 등 정부의 역할이 강화된 큰 정부를 선호하는 반
면 공화당 지지자들은 이러한 정부규제 강화에 반대하고 정부의 효율성
을 중시하는 등 작은 정부를 선호하고 있다. 또한 민주당 지지자들이 국
가부채 증가나 증세를 감수하고라도 사회 취약층 지원에 대한 정부의
책임이 있다고 보는 반면 공화당 지지자들은 감세를 통한 일자리 창출
과 정부지출 축소를 통한 재정적자 감소를 중시하고 있다. 사회적 분야
에 있어서도 민주당 지지자들은 도덕이나 가치규범은 변화해 갈 수 있
다고 보는 반면 공화당 지지자들은 가족 중시 등 전통적 가치나 규범을
지키는 것이 중요하다고 본다. 또한 민주당 지지자들이 종교가 정치영역
에 관여해서는 안 된다고 보는 반면 공화당 지지자들은 신앙의 중요성을
강조하고 종교적 신념이 정치영역에도 반영되어야 한다고 생각한다.

표 3-5 민주-공화당 지지자와 무당파 유권자의 경제적 쟁점에 대한 입장(%)

구분	재정지출감축		건강보험법		고소득자증세		법인세감세		의료민영화		온실가스규제	
	찬성	반대	찬성	반대	찬성	반대	찬성	반대	찬성	반대	찬성	반대
민주당	39	54	64	23	82	17	41	55	29	68	87	8
무당파	56	39	40	49	62	35	55	40	42	53	73	22
공화당	66	29	15	77	46	53	71	26	39	55	61	35

출처: Washington Post-Kaiser Family Foundation Poll(2012)

표 3-6 민주-공화당 지지자들의 사회적 쟁점에 대한 입장(%)

구분	낙태 허용		동성애자 결혼		불법이민 규제		총기 규제	
	찬성	반대	찬성	반대	찬성	반대	찬성	반대
민주당	70	28	68	27	75	23	76	23
무당파	58	39	57	39	59	38	44	55
공화당	34	63	30	67	47	49	30	68

출처: Washington Post-Kaiser Family Foundation Poll(2012)

이러한 민주-공화 양당 지지자들 간의 주요 경제적 또는 사회적 분
야에서의 근본적인 시각의 차이는 〈표 3-5〉와 〈표 3-6〉에서 보듯이
구체적인 주요 정책들에 있어 양당 지지자들 간의 뚜렷한 입장 차이로
이어지고 있다.

경제적 분야에서의 시각 차이가 반영된 주요 정책 쟁점들은 정부의
재정지출 감축, 오바마 대통령의 건강보험 개혁법, 고소득자 증세, 법인
세 감세, 노인 의료보호(Medicare) 민영화, 온실가스 규제 등의 문제이
다. 먼저 정부의 재정지출과 관련하여서 연방정부의 재정적자를 줄이
는 일이 무엇보다도 시급하기 때문에 재정적자를 늘리는 연방정부의 재

정지출은 과감하게 삭감해야 된다는 입장을 취하는 공화당 지지자들이 압도적으로 많은 데 반하여, 경기를 부양하여 일자리를 창출하고 사회 취약계층 지원을 위하여 재정적자를 감수하고라도 필요한 정부의 재정 지출을 확대해야 된다는 입장을 갖고 있는 민주당 지지자들이 적지 않다. 2010년 오바마 대통령의 주도하에 입법화된 건강보험 개혁법에 대하여 많은 민주당 지지자들이 과도하게 비싼 의료수가와 건강보험 혜택을 받지 못하고 있는 국민이 대략 4700만 명에 달하는 실정을 고려할 때 건강보험의 수혜 범위를 획기적으로 늘리고자 하는 오바마 대통령의 건강보험 개혁법이 필요하다는 입장을 취하고 있다. 하지만 공화당 지지자들의 경우에는 추가적인 세금 부담 등을 이유로 이에 반대하고 있는 비율이 압도적으로 높다.

고소득자 증세 및 법인세 감세와 관련해서도 감세를 통하여 투자와 소비가 증가함으로써 보다 많은 일자리 창출이 이루어질 수 있기 때문에 감세를 지지하고 증세에 반대하는 입장을 취하는 공화당 지지자들이 많다. 이와는 달리 소득세 등의 감세가 재정적자를 키울 뿐 아니라 그 혜택이 주로 고소득자에게 돌아간다고 보아 감세에 반대하고 오히려 고소득자 증세에 찬성 입장을 취하는 민주당 지지자들이 압도적으로 많다. 노인 의료보호 민영화에 대해서도 많은 민주당 지지자들은 노인들이 양질의 의료보호 혜택을 안정적으로 받기 위해서는 현재의 노인 의료보호 제도가 유지되어야 한다는 입장을 취하고 있다. 반면에 미국 사회가 빠르게 고령화되고 있기 때문에 현재의 노인 의료보호 제도가 부실화되는 것을 막기 위해서는 사적인 보험 선택권 부여 등 개혁을 통하여 기존의 노인 의료보호 제도 유지에 따른 정부의 재정지출을 줄이고 개인의 선택권을 확대할 수 있도록 할 필요가 있다는 공화당 지지자들이 적지 않다. 온실가스 규제와 관련하여 민주당 지지자들이 지구 온난화를 줄이기 위하여 발전소, 자동차, 공장 등으로부터의 가스 배출을 규제할 필요가 있다는 입장이 압도적으로 많은 반면, 온실가스 규제에 따른 추가적인 경제적 부담으로 어려운 미국 경제가 더욱 힘들어질 수 있다는 입장을 취하고 있는 공화당 지지자들이 적지 않다.

사회적 분야에서의 시각 차이가 반영된 주요 정책 쟁점들은 낙태 허용, 동성애자 결혼, 불법이민자 규제, 총기 규제 등의 문제이다. 낙태 허용 문제에 있어서 민주당 지지자들이 낙태 여부는 임산부의 선택의 문제라는 친선택적(pro-Choice) 입장을 취하고 있어 대체로 낙태를 허용할 수 있다는 입장인 데 반하여, 공화당 지지자들의 입장은 태아의 생명권을 존중하여 극히 예외적인 경우를 제외하고는 낙태 허용에 반대하는 친생명적(pro-Life) 입장을 취하고 있다. 동성애자 결혼 문제에 있어서도 민주당 지지자들이 성적인 성향에 있어 소수집단인 동성애자에 대하여 차별을 두어서는 안되기 때문에 동성애자 간의 결혼도 허용되어야 한다는 입장인 것과는 대조적으로 공화당 지지자들은 결혼은 이성 간에만 허용되어야 한다는 전통적인 입장을 고수하고 있다.

최근 들어 유입되는 불법이민자 수가 늘어나면서 쟁점화 되고 있는 불법이민자 규제 문제에 있어서 민주당 지지자들은 이미 미국에 거주하고 있는 불법이민자들에 대하여 계속 일할 수 있도록 해주고 합법적인 거주자가 될 수 있는 기회를 주어야 한다는 입장인 반면, 공화당 지지자들의 경우에는 불법이민자들의 증가로 인하여 미국의 전통적인 가치가 위협받을 수 있으므로 규제를 강화하여야 하고 본국으로의 송환조치도 필요하다는 입장을 취하고 있다. 또한 잦은 총기사고로 미국 사회의 심각한 쟁점이 되고 있는 총기 규제 문제에 있어서도 민주당 지지자들은 무차별적인 총기사고가 빈발하고 있는 상황에서 보다 엄격하게 총기소지를 규제하는 입법이 필요하다는 입장을 갖고 있지만, 공화당 지지자들은 스스로를 보호하기 위한 총기소지의 헌법적 권리는 계속하여 지켜져야 한다는 입장을 취하고 있다.

정치적 성향이나 정책적 입장에 있어 민주-공화 양당 지지자들간의 격차뿐 아니라 정당 지지자들과 미국의 일반 유권자들, 즉 전체 유권자들과의 평균적인 성향이나 입장 사이의 격차 역시 시간이 지나면서 더욱 커지고 있는데, 〈표 3-7〉의 낙태 문제와 전통적 가치 홍보를 위한 정부의 역할에 대한 설문조사 결과를 통하여 이를 부분적으로 확인할 수 있다.

낙태는 임산부의 생명이 위협을 받는 경우에만 허용되어야 한다는 입장을 갖고 있는 일반 유권자 평균 비율과 당파적 유권자 비율은 시간이 갈수록 그 격차가 벌어지고 있다. 즉 일반 유권자 평균과 민주당 또는 공화당 지지자들과의 격차의 합이 1969년 5%에서 2000년 9%, 2004년 13%, 2008년 18%까지 커지고 있다. 마찬가지로 전통적인 가치를 홍보하기 위하여 정부가 더 많은 노력을 기울여야 된다는 입장을 갖고 있는 당파적 유권자들의 비율 역시 시간이 지나면서 일반 유권자 평균으로부터 멀어지고 있는데, 당파적 유권자들과 일반 유권자 평균간의 격차의 합이 1996년 4%에서 2000년 19%, 2004년 35%로 크게

표 3-7 낙태와 전통적 가치에 대한 입장(%)

연도	구분	임산부 생명이 위태로운 경우만 낙태 허용	전통적인 가치 홍보를 위한 정부 역할 강화
1996	민주당 대의원	3	27
	민주당 지지자	13	41
	일반 유권자	14	42
	공화당 지지자	18	44
	공화당 대의원	27	56
2000	민주당 대의원	2	20
	민주당 지지자	12	36
	일반 유권자	15	43
	공화당 지지자	21	55
	공화당 대의원	23	44
2004	민주당 대의원	2	15
	민주당 지지자	12	26
	일반 유권자	17	40
	공화당 지지자	25	61
	공화당 대의원	23	55
2008	민주당 대의원	2	12
	민주당 지지자	11	NA
	일반 유권자	18	NA
	공화당 지지자	27	NA
	공화당 대의원	31	48

출처: Bowman and Rugg(2012)

증가하고 있다. 또한 일반 유권자 평균으로부터 멀어지고 있는 당파적
유권자들의 입장은 민주당 지지자들보다 공화당 지지자들의 경우에 더
욱 큰 격차를 보이고 있다.

정당 지지자들보다 당파성이 더욱 강한 정당활동가(Party Activist)

들의 경우 정치적 성향이나 정책적 입장에 있어 일반 유권자들의 평균적인 성향이나 입장과의 격차는 정당 지지자들의 경우보다 한층 더 클 것으로 예상할 수 있다. 이러한 예상은 〈표 3-7〉을 통하여 확인할 수 있는데, 대표적인 정당활동가 집단이라고 볼 수 있는 민주-공화 양당의 전당대회에 참여한 대의원들의 정치적 성향이나 정책적 입장과 일반 유권자 평균과의 격차가 정당 지지자들의 경우보다 더욱 크게 벌어져 있음을 보여주고 있다.

일반 유권자 평균과 큰 격차를 보여주고 있는 민주-공화 양당 지지자들 사이의 정책적 입장 차이는 2012년 대통령선거에서 주요 경제, 사회 분야와 관련된 민주-공화 양당의 정책에 반영되어 양당 간에 뚜렷하게 정책적 입장이 대립되었다. 이처럼 뚜렷한 입장 대립은 연방 하원 예산위원장으로서 예산감축 및 감세 그리고 노인 의료보호 제도 및 노령연금(Social Security) 제도 개혁의 주창자인 폴 라이언(Paul Ryan)을 공화당의 롬니(Mitt Romney) 대통령 후보가 전당대회 직전 부통령 후보로 선택함으로써 보다 분명해진 바 있다. 특히 2012년 대통령선거에서 유권자들은 2008년 금융위기 이후의 경제적인 어려움을 반영하여 경제와 일자리, 건강보험, 연방 재정적자, 감세, 노인 의료보호, 노령연금 문제 등 주로 경제적인 문제에 대하여 높은 관심을 보였으며 주로 이러한 문제들을 중심으로 대통령선거 과정에서 민주-공화 양당이 치열한 정책경쟁을 벌렸다.

경제적인 문제들에 대하여 이처럼 많은 유권자들이 높은 관심을 보여 주었던 것과는 대조적으로 2012년 대통령선거에서는 이전 선거에서 자주 주요 쟁점으로 다루어졌던 사회적 문제들의 경우, 불법이민자 규제 문제를 제외하고 낙태, 동성애자 결혼, 총기 규제 등에 대한 유권자들의 관심은 상대적으로 낮았다. 이에 따라 장기간의 경제 침체에 따라 양산된 약 2300만 명의 실업자들을 위한 일자리 문제, 16조 달러를 넘는 연방부채 및 매년 1조 달러 이상씩 누적되고 있는 재정적자 해소를 위한 연방 정부지출 축소 문제, 경기활성화를 위한 감세문제, 고령화에 따라 기금고갈의 우려가 있는 노인 의료보호 및 노령연금 제도의 개혁문제 등이 선거의 주요 쟁점으로 다루어졌다.

IV. 무당파 유권자와 초당파적 협력정치

앞의 〈표 3-7〉에서 보았던 것처럼 민주당 또는 공화당 지지자와 같은 당파적 유권자들의 정치적 성향이나 정책적 입장이 일반 유권자들의 평균으로부터 점차 멀어지고 있다는 것은 민주-공화 양당 어느 쪽도 지지하지 않는 유권자들이 결코 적지 않다는 것을 말하여 주는 것이기도 하다. 실제로 최근의 미국 정당정치에서 공화당과 민주당 지지자 간의 정책적 입장 차이가 점점 더 커지고 있는 것과 함께 주목할 필요가 있는 것은 어느 정당에 대해서도 지지의사를 표명하고 있지 않는 무당파 (Independent) 유권자들이 크게 증가하고 있다는 점이다. 2장의 〈그림 2-1〉에서 보듯이 최근의 퓨 리서치(Pew Research) 조사 자료에 따르면 특히 2008년 이후 무당파 유권자들이 크게 증가하여 민주당 지지자나 공화당 지지자와 같은 당파적 유권자들을 앞지르고 있는데,[12] 이처럼 무당파 유권자들이 증가하게 된 데에는 정치적 양극화에 대한 거부감도 크게 작용하고 있다.

물론 이들 무당파 유권자들 중에는 실질적인 정당지지나 투표에 있어 공화당이나 민주당 쪽으로 편향되어 있는 소위 편향된 무당파 유권자(Leaner)들이 있는 것이 사실이지만 이들 편향된 무당파 유권자들이 민주당 또는 공화당 지지성향을 가지고 있으면서도 굳이 스스로를 민주당 지지자 또는 공화당 지지자로 밝히지 않고 무당파 유권자로 규정하고 있는 것은 과도하게 양극화된 정당정치에 대한 이들의 거부감이 작용하고 있다고 보는 것이다.

실제로 이들 무당파 유권자들은 경제분야 및 사회분야에서의 기본적인 정치적 성향에 있어서 〈표 3 - 3〉과 〈표 3 - 4〉에서 보여주고 있는 것처럼 대체로 중도적인 입장을 취하고 있다. 무당파 유권자들의 정치적 성향이 사안에 따라 공화당 지지자 또는 민주당 지지자의 성향에 보다 근접하여 있는 것은 사실이다. 예를 들어, 정부의 크기나 범위와 관련하여 무당파 유권자들은 공화당 지지자들의 성향과 보다 가깝지만 정치와 종교의 관계나 기존의 윤리적 규범에서 벗어나는 행위에 대한 관용 등의 문제에 있어서는 공화당 지지자보다는 민주당 지지자와 보다 비슷한 성향을 보여주고 있다. 하지만 어느 경우에나 무당파 유권자들의 성향

---

12 정당지지와 관련하여 최근 두드러진 특징 중 하나는 무당파 유권자들의 뚜렷한 증가 추세인데, 2004년 공화당 지지자의 비율과 같은 수준인 30%에 머물던 무당파 유권자들이 2008년에 32%, 2012년에 38%까지 증가하여 1939년 이래 역대 최고 수준을 보여 주고 있다.

표 3-8 당파적 유권자와 무당파 유권자의 초당적 협력에 대한 태도(%)

구분	민주당 입지 견지 대 초당적 협력		공화당 입지 견지 대 초당적 협력	
	민주당 지지자	무당파 유권자	공화당 지지자	무당파 유권자
견지	43	23	54	25
협력	54	71	43	70

출처: Washington Post-Kaiser Family Foundation Poll(2012)

은 공화당 지지자와 민주당 지지자의 사이에 위치하고 있다. 이들 무당
파 유권자들의 중도적 입장은 〈표 3-5〉와 〈표 3-6〉에서 보듯이 경제분
야와 사회분야에 있어서의 구체적인 주요 쟁점에 대한 입장에도 잘 반영
되어 나타나고 있다. 물론 이 경우에도 무당파 유권자들이 재정지출 감
축 문제와 관련해서는 민주당 지지자들 보다는 공화당 지지자들의 입장
과 보다 더 가깝고, 낙태 허용 문제에 있어서는 공화당 지지자들 보다는
민주당 지지자의 입장에 더 근접하여 있지만 무당파 유권자들의 입장은
대체로 공화당 지지자와 민주당 지지자의 입장 사이에 위치하고 있다.

경제·사회 분야의 정치적 성향이나 구체적인 쟁점들에 대한 입장에
있어 무당파 유권자들이 당파적 유권자들보다 대부분 중도적인 입장을
취하고 있다는 점 이외에도 국정운영 방식과 관련하여 이들 무당파 유
권자들은 당파적 유권자들과 비교하여 중요한 차별성을 갖고 있다. 즉,
무당파 유권자들이 당파적 유권자들과 비교하여 주요 정책 사안에 있어
중도적 입장을 갖고 있는 것 못지않게 중요한 것은 〈표 3-8〉에서 보여
주고 있는 것처럼 당파적 유권자들과 비교하여 이들 무당파 유권자들이
민주-공화 양당의 당파적인 경계선을 뛰어넘는 초당파적 협력정치를

표3-9 당파적 유권자와 무당파 유권자의 선거 관심도(%)

구분	아주 관심있음	어느 정도 관심있음	그다지 관심없음	전혀 관심없음
민주당 지지자	55	27	10	7
공화당 지지자	64	22	8	6
무당파 유권자	46	27	13	14

출처: Washington Post-Kaiser Family Foundation Poll(2012)

훨씬 더 중시하고 있다는 것이다. 한 가지 흥미 있는 것은 당파적 입장을 견지하는 데 대한 무당파 유권자들의 태도가 민주당 입장 견지의 경우보다는 공화당 입장 견지의 경우에 당파적 유권자들과의 차이가 더욱 크게 나타나고 있다는 점이다. 이러한 결과를 통하여 무당파 유권자들의 초당파적 협력정치에 대한 요구가 민주당보다는 공화당에 대하여 더욱 강하게 제기되고 있다고 볼 수도 있다.

무당파 유권자들의 이와 같은 초당파적 협력정치에 대한 강한 욕구는 극심한 당파적 대립구도 속에서 치러지는 선거에 대한 관심을 떨어뜨리는 데에도 작용할 수 있다고 본다. 실제로 민주당 지지자나 공화당 지지자와 같은 당파적 유권자들과 비교하여 무당파 유권자들의 선거에 대한 관심이 저조하다는 것을 〈표 3-9〉를 통하여 확인할 수 있다. 그리고 당파적 유권자들에 비하여 저조한 무당파 유권자들의 선거에 대한 관심은 결국 이들 무당파 유권자들의 투표 참여를 떨어뜨리는 요인으로 작용하고 있다.[13]

---

13   무당파 유권자들의 투표율은 공화당 또는 민주당 지지자들의 투표율과 비교하여 뚜렷하게

V. 양대 정당의 정체성 강화와 정치적 함의

앞서 살펴보았던 것처럼 2012년 미국 대통령선거에서 민주-공화 양당
의 지지기반 및 양당 지지자들의 정책적 입장에 있어 차이가 보다 뚜렷
하게 나타나고 있다. 이처럼 유권자 수준 정당 차원에서 민주-공화 양
당의 차별성이 뚜렷해지는 것은 양당의 정체성이 강화되고 있다고도 볼
수 있는데, 이러한 양당의 정체성 강화는 미국 유권자의 구성 비율이 빠
르게 변화하고 있는 최근의 추세와도 맞물려 있다. 먼저 인종적 구성에
있어 21세기에 들어오면서 백인 유권자 비율이 지속적으로 감소하고
있는 반면 비백인, 특히 히스패닉계 유권자들은 빠르게 증가하고 있다.
마찬가지로 개신교도 유권자들의 비율이 크게 줄어들면서 무종교 유권
자들은 뚜렷하게 늘어나고 있다. 특히 젊은 세대 집단에서 무종교 유권
자들의 뚜렷한 증가는 주목을 요한다. 즉 21세기의 미국 사회는 빠른
속도로 보다 더 다양하고 복합적인 사회로 변화되고 있는데 민주-공화
양당의 정체성 강화도 이러한 사회적 변화의 맥락 속에서 살펴 볼 필요
가 있다.

미국 사회의 급속한 변화 과정 속에서 민주당은 흑인뿐 아니라 히스
패닉, 아시안 등 비백인 유권자 집단으로 또는 무종교 집단으로 지지기
반의 외연을 기민하게 확장해 나가고 있다. 이와는 대조적으로 강한 보

낮은데, 정당일체감과 투표율 간의 관계에 관한 연구(Glaeser et al. 2005)에 따르면 무당파
유권자들의 투표율이 가장 낮아서 민주당 또는 공화당과 강한 또는 약한 일체감을 갖고 있는
유권자들 사이에 무당파 유권자들을 놓았을 때 투표율이 V자 형태를 보여주고 있다.

수 성향의 복음주의 개신교도 집단과 티파티운동 단체들의 영향을 적지 않게 받고 있는 공화당은 나이든 백인 유권자의 정당이라는 틀에서 크게 벗어나고 있지 못하다. 이러한 공화당의 고착된 지지기반은 불법이민자 규제 문제나 동성애자 결혼 문제 등에서 공화당이 취하고 있는 매우 경직된 보수적인 입장에 잘 반영되고 있다. 결국 새로운 주요 쟁점들에 있어 공화당의 경직된 입장은 빠르게 규모가 커지고 있는 유권자집단들로부터 공화당이 외면받는 결과를 초래하고 있으며, 이는 민주당이 새로운 주요 쟁점들에 있어 유연한 입장을 취하면서 규모가 커지고 있는 유권자집단들로부터의 지지를 확장해 가고 있는 것과 대비되고 있다. 그리고 민주당과 공화당의 이러한 차이는 공화당 지지자들의 정치적 성향이나 정책적 입장이 민주당 지지자들보다 평균적인 미국 유권자들의 성향이나 입장으로부터 더욱 큰 격차를 보여주고 있는 〈표 3-7〉을 통해서도 부분적으로 확인되고 있다.

민주-공화 양당 지지기반의 차별성이 강화되면서 경제분야와 사회분야에 있어서의 정치적 성향이나 구체적 쟁점들에 대한 민주당과 공화당 지지자들의 입장은 분명하게 대비되고 있으며 그 차이가 시간이 지나면서 더욱 커지고 있다.[14] 이처럼 정당지지자들의 정치적 성향이나 정책적 입장 차이가 더욱 커지고 있는 것과 더불어 주목할 것은 대체로

---

14 이 장에서는 정당 지지기반의 강화된 차별성이 정당의 정책적 차이로 이어지고 있다고 보고 있지만 정당의 정책적 차이가 유권자 수준에서의 차별성 강화를 보다 더 추동할 가능성도 배제할 수는 없다. 하지만 유권자 수준에서의 강화된 차별성과 정당의 정책적 차이 간의 인과관계를 보다 분명하게 밝히기 위해서는 보다 분석적인 논의가 필요하다.

중도적 입장을 취하고 있는 무당파 유권자들이 전체 유권자에서 차지하고 있는 비율 역시 증가하고 있다는 사실이다. 민주-공화 양당 지지자들의 차별성이 강화되면서 동시에 이들과는 정치적 성향을 달리하는 무당파 유권자들이 늘어나는 이중적 구조 속에서 선거 이후 미국의 행정부와 의회의 지도부가 당파적 유권자들의 압력에도 불구하고 초당파적인 리더십을 외면하기는 쉽지 않은 상황이다. 이미 지난 미국 대통령선거 과정에서도 당파적 유권자들에 비하여 투표율이 떨어지긴 하지만 무당파 유권자들이 공화당 지지자나 민주당 지지자들에 비하여 적지 않게 분포하고 있을 뿐 아니라 증가하고 있는 추세를 보이고 있어, 오바마와 롬니 두 후보 모두 박빙의 선거 상황에서 이들 무당파 유권자들의 지지를 끌어들이기 위하여 초당파적, 통합적 리더십을 강조하지 않을 수 없었다.[15]

대통령선거 과정에서와 마찬가지로 대통령선거 이후의 국정운영에 있어서도 민주-공화 양당의 지지자들이 팽팽하게 맞서 있는 상황에서 성공적으로 국정을 수행해 나가기 위해서는 전체 유권자의 40%에 육박하는 무당파 유권자들의 지지를 확보하는 일이 매우 중요할 수밖에 없다. 따라서 민주-공화 양당 지도부가 각 당 지지자들의 요구를 수용하면서도 다수의 무당파 유권자들도 아우를 수 있는 초당파적 리더십을

---

15 초당파적 리더십은 대통령선거 직전 미국 동부를 강타한 허리케인 샌디가 선거 분위기를 당파적 대립에서 국가 위기관리 쪽으로 바꾸면서 더욱 부각된 바 있다. 특히 허리케인의 피해가 집중되었던 뉴저지와 뉴욕 지역에서 오바마 대통령이 그의 저격수로 불리던 Christie 공화당 뉴저지 주지사와 Bloomberg 무소속 뉴욕 시장과 함께 초당파적 복구 노력을 기울였던 점이 오바마의 2012년 대통령선거 승리에 긍정적으로 작용하기도 하였다.

발휘하지 않을 수 없는 상황이다. 더욱이 2012년 연말로 '부시 감세'가 종료되고 현재 16조 4000억 달러 수준의 국가부채 한도(Debt Ceiling) 가 상향 조정되지 않을 경우 감세 종료로 인한 세율 인상과 2013년도부 터 2021년까지 1조 2000억 달러 규모의 재정지출을 자동 삭감하게 됨 에 따라 대폭적인 정부지출 감축이 예정되어 있다. 이와 같은 대폭적인 재정 감축은 소위 '재정 절벽(Fiscal Cliff)'으로 불리는 커다란 재정적 충격을 야기하게 되고 이로 인하여 미국 경제는 더욱 어려워지게 되는 엄중한 현실에 직면하고 있다. 이처럼 심각한 경제적 상황 역시 민주-공화 양당 지도부로 하여금 지지자들의 당파적 요구에도 불구하고 현실 적인 위기를 돌파하기 위하여 초당파적인 타협을 모색할 수밖에 없도록 만들고 있다.[16] 마지막으로 공화당의 감세나 재정지출 감축 입장과 관 련하여 타협을 어렵게 함으로써 정당분극화를 더욱 심화시키는 데 기여 했던 티파티운동의 영향력이 2012년 대통령선거에서 상대적으로 약화 되고 있는 것도 초당파적인 협력 가능성을 높이는 또 다른 이유가 되고 있다.[17]

---

16 초당파적 타협이 이루어지지 못하여 2013년 3월부터 일단 시퀘스터(Sequester 연방예산 자동삭감)가 발동되었다. 하지만 연방정부 폐쇄를 막기 위한 추가 예산조치가 필요하고 연방 정부 부채한도 확대 시한이 또 다시 임박하는 등 연방예산 지출과 관련하여 파국을 피하기 위 해 해결하여야 할 과제들이 계속하여 이어지고 있어 결국 초당파적인 타협 없이 재정위기 상 황을 돌파하기는 어렵다고 본다.

17 티파티운동 단체들의 영향력이 강하게 작용했던 2010년 중간선거에서 당선된 83명의 공 화당 초선 하원의원 중 12명이 2012년 연방하원 선거에서 재선에 실패했고, 이들 재선 에 실패한 공화당 초선의원 중 10명이 티파티운동 단체들의 지지를 받았던 의원들이다 (Washington Post, 2012/11/7).

공화당 내전과
2014년 연방상원 선거

2010년 중간선거를 기점으로 강한 보수 성향을 띠고 있는 티파티운동이 본격적으로 선거과정에 참여하게 되면서 공화당 내의 상대적으로 중도적이고 실용적인 주류와 강경 보수 티파티운동 지지세력 간의 내부갈등은 격화된 바 있다. 특히 이러한 주류와 티파티 지지세력 간의 공화당내 갈등은 예비선거 과정에서 뚜렷하게 부각된 바 있으며 본선거 결과에도 적지 않은 영향을 미친 바 있다. 또한 강경 보수 성향의 티파티 지지세력의 부상은 선거 이후의 입법과정을 포함한 국정운영과 관련해서도 건강보험 개혁, 시퀘스터(Sequester)라 불리는 연방예산 자동삭감, 연방 부채상한 증액 등을 포함한 주요 정책 쟁점들을 둘러싸고 공화당의 정책적 양보를 어렵게 함으로써 민주 – 공화 양당 간의 대립과 갈등이 심화되는 방향으로 적지 않은 영향을 미친 바 있다.

이 장에서는 2014년 연방상원 선거를 중심으로 공화당 내전(Republican Civil War)으로도 불리는 티파티운동과 공화당 주류 간의 갈등이 공화당 예비선거 과정에서 어떻게 표출되었는지, 그리고 본선거 결과에 어떻게 영향을 미쳤는지 등을 살펴보고, 티파티운동과 공화당 주류 간의 갈등이 1990년대 이후 심화되고 있는 미국의 정당분극화 및 선거 후 정치과정에는 어떻게 작용하게 될 지에 대한 전망해 보고자 한다. 이 장에서 2014년 중간선거 중 특히 연방상원 선거에 집중하여 살펴보는 이유는 민주당 행정부와 공화당 하원 구도에 현실적으로 변화가 이루어지기 쉽지 않은 상황에서 연방상원 선거가 미국의 정치지형에 변화를 가져올 수 있는 중요한 변수로 작용할 수 있다고 보기 때문이다.

연방하원 선거지형에서는 공화당이 큰 폭의 우위를 점하고 있는 상황에서 2014년 중간선거에서도 공화당이 다수 의석을 확보할 것으로 일찍부터 예상되었고 실제 선거 결과도 예상대로 나왔다. 이와는 달리 2012년 대통령선거를 포함하여 최근 치러진 대통령선거에서는 히스패닉 등 비백인 유권자집단의 비율이 빠르게 늘어나고 있을 뿐 아니라 이들 비백인 유권자들의 투표율이 중간선거의 경우와 비교하여 높아지기 때문에 민주당에 더 좀 유리한 상황이 지속되고 있다. 이러한 추세는 가까운 장래에 크게 바뀔 것 같지 않기 때문에 선거지형상으로는 민주당이 계속하여 상대적으로 우위에 있다고 볼 수 있다. 이처럼 대체로 공화당이 우위를 점하고 있는 연방하원 선거나 민주당이 우세한 대통령선거와는 달리 연방상원 선거의 경우는 민주-공화 양당의 우세주 수가 비슷한 상황에서 경합주에서의 승패에 따라 상원의 다수당이 바뀔 가능성이 많다. 결국 연방하원 선거에서는 공화당이 우세하고, 대통령선거에서는 민주당이 우세한 상황에서 연방상원 선거가 미국의 정치지형을 변화시킬 가능성이 가장 큰 선거가 되고 있는 점을 고려하여 이 장에서는 공화당 주류와 티파티운동 지지세력 간의 갈등을 연방상원 선거에 집중하여 다루고 있다.

Ⅰ. 티파티운동의 등장과 공화당 내 갈등

1. 티파티운동 지지자들의 정치적 성향

티파티운동은 20세기 후반 지속적으로 발전되어 온 보수적인 풀뿌리(grassroots) 대중운동을 그 배경으로 하고 있다. 즉, 2장에서 언급했던 1970년대 서부 지역에서 일어났던 세금저항(Tax Revolt) 운동, 1980년대의 도덕적 다수(Moral Majority), 1990년대의 기독교연합(Christian Coalition), 2000년대의 복음주의(Evangelical) 개신교도 운동들과 같은 보수적인 풀뿌리 대중운동들을 배경으로 하고 있다. 물론 1980년대 도덕적 다수로부터 비롯되는 기독교 우파의 대중운동들처럼 사회적, 윤리적 쟁점들과 관련한 보수적 입장 못지않게(Jones and Cox 2010) 재정지출 및 연방부채 감축과 감세, 정부규제를 비롯한 정부 역할 축소 등 주로 경제적 쟁점들에서의 보수적 입장도 강조되고 있다는 점에서 일정 정도 차이가 있으며,[1] 이로 인한 티파티운동 내부의

---

1   O'Hara 2010; Zernike 2010.

갈등이 있는 것 또한 사실이다.[2]

이처럼 티파티운동이 이미 이전에 등장하였던 보수적인 풀뿌리 대중운동 조직을 그 배경으로 하고 있지만 티파티운동이 부상하게 된 보다 직접적인 계기는 2008년 대통령선거에서 오바마의 승리에서부터 찾을 수 있다. 특히 2008년 대통령선거에서 흑인 대통령이 등장함에 따라 다양한 진보적 사회집단들과 비백인 집단들이 결합하고 대규모 재정 부담을 가져올 경기부양 정책이나 건강보험 개혁과 같은 진보적 정책의제들이 제시되면서 이에 반발하는 보수적인 백인 유권자들이 빠르게 결집될 수 있었다. 그리고 바로 이러한 보수적인 백인 유권자들의 결집이 티파티운동의 토대가 될 수 있었다. 따라서 티파티운동의 등장은 그동안 진행되어온 인종적, 이념적 양극화의 결과물인 동시에 전체 공화당 지지자들의 절반에 육박하는 티파티운동 지지자들이 후보선출 및 정책결정 과정을 통하여 공화당을 한층 더 강한 보수 방향으로 밀어 붙이면서 최근 심화되고 있는 미국의 정당분극화를 더욱 촉진시키는 요인으로 작동하는 양면성을 지니고 있다고 볼 수 있다.

실제로 티파티운동 지지자들은 대부분 공화당 지지자들이며 일반 유권자들 뿐 아니라 티파티운동을 지지하지 않는 공화당 지지자들과 비교해서도 뚜렷하게 강한 보수적인 이념성향을 갖고 있다. 이러한 티파티

2   티파티운동 내에서 사회적 보수주의자(Social Conservatives)들과 경제적 보수주의자 또는 자유지상주의자(Libertarians)들 간의, 즉 기독교 티파티(Christian Tea Party)와 일반 티파티(Regular Tea Party) 간의 갈등에 대한 설명은 스카치폴 등(Skocpol and Williamson 2013)을 참조.

표 4-1　티파티운동 지지 여부에 따른 공화당 지지자들의 쟁점 입장(%)

구분	부채 상한 인상		재정 지출 확대		금융 기관 규제		대체 에너지 개발		의료 보험 개혁		노령연금/ 노인의료 보호축소		낙태 합법화		동성 애자 결혼		총기 규제		테러방지 위한 인권제한	
	찬성	반대	찬성	반대	찬성	반대	찬성	반대	찬성	반대	찬성	반대	찬성	반대	찬성	반대	찬성	반대	찬성	반대
지지자	23	69	5	92	19	79	16	73	5	94	73	15	31	61	24	69	7	93	55	31
비지지자	43	44	28	67	43	53	53	38	17	80	44	46	45	51	39	54	29	68	42	41

출처: Pew Research Center(2013/10/16)

운동 지지자들의 강한 보수적 이념성향은 〈표 4-1〉에서 보는 것처럼 주요 경제적 쟁점 및 사회적 쟁점들과 관련하여 같은 공화당 지지자 중에서도 티파티운동 지지자들의 보수적인 입장 비율이 티파티운동을 지지하지 않는 공화당 지지자들과 비교하여 매우 높게 나타나고 있는 데에서도 잘 드러나고 있다. 결국 이처럼 강한 보수 성향을 갖고 있는 티파티운동 지지자들의 입장에서 보자면 현재 공화당의 정책들은 진정한 보수주의를 제대로 반영하고 있지 않고 있으며 진정한 보수주의 정책을 추진할 의지를 갖고 있지 않은 공화당 지도부를 포함한 공화당 기득권 또는 주류 세력(Republican Establishment)에 대하여 매우 강한 불만을 갖고 있다.[3]

또한 이들 티파티운동 지지자들은 비백인 인구 증가에 대해서도 강한 우려와 거부감을 갖고 있다.[4] 티파티운동 지지자들이 비백인에 대하

3　티파티운동 지지자들은 이들 공화당 기득권 세력을 '이름뿐인 공화당(RINO: Republican In Name Only)'이라고 비하하기도 한다.

4　Lepore 2010.

표 4-2 2014년 중간선거 관심 및 참여의사(%)

구분	티파티 공화당 지지자	비티파티 공화당 지지자	민주당 지지자/ 무당파 유권자
중간선거에 높은 관심	54	31	27
중간선거에 강한 참여의사	73	57	42

출처: Gallup 여론조사(2014/9/24-9/30)

여 갖고 있는 이러한 강한 우려와 거부감은 2장 〈표 2-2〉에서 보았듯
이 미국의 대표적인 비백인 집단인 흑인들에 대한 강한 부정적인 입장
에서도 잘 나타나고 있다.

전체 공화당 지지자들 중 티파티운동 지지자들이 차지하는 비율은
절반에 미치지 못하지만 이들 티파티운동 지지자들이 공화당의 정책결
정이나 후보선출에 미치는 영향은 매우 강력하다. 이는 티파티운동 지
지자들이 공화당 지지자 중에서 가장 적극적으로 정치참여를 하는 집
단이기 때문이다. 실제로 앱라모위쯔(Abramowitz 2013)의 분석에 따
르면 공화당 지지자 중 공직자 접촉, 정치자금 기부, 정치집회 참여의
비율이 티파티운동 지지자의 경우 각각 44%, 22%, 24%인데 비하여
티파티운동을 지지하지 않는 공화당 지지자들의 경우에는 각각 20%,
9%, 7%로 나타나고 있어 티파티운동 지지자들의 정치참여가 매우 적
극적으로 이루어지고 있음을 확인할 수 있다. 특히 티파티운동 지지자
들의 이러한 적극적인 정치참여는 각급 선거에 내세울 공화당 후보선출
을 위한 예비선거에서의 적극적인 참여로 이어지고 있어 본선거에 나서
기 위해서는 예비선거에서 승리해야 되는 공화당 후보들로서는 주요 쟁

점에 대한 입장을 취함에 있어 티파티운동 지지자들로부터 크게 영향을 받지 않을 수 없다.

또한 〈표 4-2〉가 보여주고 있는 것처럼 티파티운동을 지지하는 공화당 지지자들은 티파티운동을 지지하지 않는 공화당 지지자 또는 민주당 지지자나 무당파 유권자와 비교하여 2014년 중간선거에 많은 관심을 갖고 있으며 중간선거 참여의사가 훨씬 강한 것으로 나타나고 있다.

2010년 중간선거와 비교하여 2014년 공화당 예비선거 및 본선거 과정에서의 티파티운동의 영향력은 상대적으로 줄어들었고 전체 유권자에서 차지하는 비율은 다소 낮아졌지만 티파티운동 지지자들이 민주당 지지자나 무당파 유권자 그리고 공화당 지지자 중에서도 티파티운동을 지지하지 않는 유권자들보다 2014년 중간선거에 대한 훨씬 높은 관심과 강한 선거 참여의사를 가지고 있어 선거결과에 티파티운동 지지자들은 여전히 큰 영향을 미치고 있다고 볼 수 있다.

2. 티파티운동 등장 이후의 연방상원 선거

티파티운동 지지자들이 공화당 예비선거 과정에서 강력한 영향을 미치기 시작한 2010년 연방상원 선거에서 티파티운동 지지후보 중 플로리다 주의 마르코 루비오(Marco Rubio), 켄터키 주의 랜드 폴(Rand Paul), 펜실베이니아 주의 팻 투미(Pat Toomey), 유타 주의 마이크 리(Mike Lee), 그리고 위스컨신 주의 론 존슨(Ron Johnson) 등 5명이 당선된 바 있다. 하지만 티파티운동의 지지를 받아 공화당 후보가 되었던 네바다 주의 샤론 앵글(Sharron Angle), 델라웨어 주의 크리스틴 오도넬(Christine O'Donnell), 콜로라도 주의 켄 벅(Ken Buck), 알래스카 주의 조 밀러(Joe Miller) 등은 본선거에서 패배하였다. 역시 2012년 연방상원 선거에서도 티파티운동의 지지를 받았던 텍사스 주의 테드 크루즈(Ted Cruz)는 당선되었지만 미주리 주의 토드 아킨(Todd Akin), 인디애나 주의 리챠드 머독(Richard Mourdock) 등은 본선거에서 패배한 바 있다.

이처럼 티파티운동 등장 이후 치러진 두 차례의 연방상원 선거, 즉 2010년과 2012년의 상원선거 결과를 보면 티파티운동 지지후보가 본선거에서 패배하는 사례가 적지 않게 나타나고 있는데 이러한 사례들이 티파티운동의 지지를 받았던 후보의 본선거 경쟁력에 대한 의구심을 갖게 하는 배경이 되고 있다. 이는 티파티운동의 지지를 받았던 후보들이 공화당 지지자들 중 예비선거에 참여할 가능성이 많은 티파티운동 지지자들의 높은 지지로 공화당 후보로 선출은 되지만 이들 티파티운동 지지후보들이 본선거에서 다수 유권자들의 지지를 받는 것은 또 다른 문제이기 때문이다. 즉 티파티운동 지지후보들의 강한 보수성향이 티파티운동 지지자들처럼 보수성향이 강한 공화당 지지자들이 주로 참여하는 예비선거 단계에서는 유리하게 작용하지만 폭넓은 유권자집단을 대상으로 하는 본선거 과정에서는 티파티운동 지지후보들의 강한 보수성향이 보다 많은 득표를 하는 데 오히려 걸림돌로 작용할 수 있기 때문이다.

II. 공화당 주류의 2014년 중간선거 전략

티파티운동 지지후보들의 본선거 경쟁력에 대한 의구심은 특히 많은 공화당 주류 지도자들이 강하게 가지고 있다. 즉 이들 공화당 주류 지도자들은 2010년 의회선거 및 2012년 의회선거를 앞두고 치러진 공화당 예비선거에서 티파티운동 단체들이 보수이념의 순수성을 주장하는 후보들을 선출하는 데 성공함에 따라 결국 본선거 경쟁력이 낮은 후보가 양산되는 결과를 가져 와서 이길 수 있었던 의석들을 잃었다는 인식을 갖고 있다. 더욱이 앞서 언급한 것처럼 민주, 공화 양당이 백중세를 보이고 있는 연방상원 선거에서 강한 보수성향의 티파티운동 지지후보들이 공화당 후보로 나서게 되면서 이들의 극단적인 정치 성향이나 정책적 입장이 일반유권자들의 입장과 큰 차이를 보였기 때문에 충분히 승리할 수 있는 주들에서 패배하게 되었고 이로 인해 공화당이 상원 다수당이 되지 못하였다는 인식이 공화당 지도부 내에 확산되어 있었다.[5]

특히 이들 공화당 주류 지도자들은 2010년과 2012년 연방상원 선거에서와 같은 패배를 되풀이 하지 않기 위해서 2014년 중간선거에서는 보다 실용적인 이미지를 강화할 필요가 있다고 보고 이를 위해 이민, 동성애자, 낙태와 같은 상대적으로 보다 분열적인 사회적 이슈보다는 경제적 이슈에 초점을 맞추는 게 유리하다는 생각을 갖고 있었다. 이는 분

---

[5]   2010년 중간선거 과정에서 티파티운동의 강력한 지지를 받았던 델라웨어 주의 오도넬 (O'Donnell) 등 강경보수 성향의 공화당 후보들이 본선거에서 어떻게 패배하게 되는지에 관한 상세한 설명은 스카치폴 등(Skocpol and Williamson 2013)을 참조.

열적인 사회적 이슈가 부각되게 되면 강한 보수성향의 유권자들을 결집시키는 것이 보다 용이해져 보수성향이 강한 티파티운동 지지후보들이 경선 과정에서 유리해질 수 있다고 보았기 때문이다. 또한 2014년 중간선거를 앞두고 베이너(John Boehner), 맥코널(Mitch McConnell) 등 주류 공화당 지도부는 이미 2013년 12월 시퀘스터의 부분 양보를 통한 예산 타협안을 통과시키고 2014년 2월 연방부채 상한 증액을 허용하는 등 티파티운동의 지지를 받고 있는 당내 강경보수파 의원들의 반발에도 불구하고 보다 실용적이고 유연하게 대처함으로써 더 이상의 민심 이반을 방치할 수 없다는 입장을 확고히 한 바 있다. 같은 맥락에서 2014년 중간선거 과정에서도 공화당 지도부는 본선거 경쟁력이 높은 현직의원들을 포함하여 상대적으로 실용적이고 온건한 보수성향의 후보들이 예비선거에서 후보로 선출될 수 있도록 보다 적극적인 자금과 조직 지원을 통한 최대한의 체계적인 노력을 경주하였다.[6]

티파티운동이 캔터(Eric Cantor) 하원 공화당 대표의 버지니아 주 경선 패배에서 보여주듯이 열성 티파티 지지자들이 결집할 수 있는 지역에서는 위력을 보였던 것이 사실이다. 하지만 공화당 주류 후보들의 경우에 공화당 상원전국위원회(National Republican Senatorial Committee)와 같은 조직을 통하여 체계적인 선거운동이 가능하였지만 티파티운동의 경우에는 단일 지도부를 갖지 못하고 여러 풀뿌리 운동단체들로 구성되어 있어 조직적, 체계적으로 전국적인 선거운

---

6   Krausharr and Oliphant 2014; Taylor and Joseph 2014.

동을 전개하는 데 한계를 갖고 있었다. 또한 티파티 익스프레스(Tea Party Express), 티파티 패트리어츠(Tea Party Patriots), 프리덤웍스 (FreedomWorks)나 번영을 위한 미국인(Americans for Prosperity)과 같은 대표적인 티파티운동 단체들 이외에도, 전 상원의원 드민트(Jim DeMint)가 이끄는 상원보수기금(Senate Conservatives Fund), 상원의 원 투미(Pat Toomey)를 지도자로 하는 성장클럽(Club for Growth) 등 이 티파티운동 지지후보들에게 선거자금을 지원하였다. 하지만 전반적 으로 선거자금 부족으로 어려움을 겪었던 티파티운동 지지후보들은 재 정적 지원에 있어서도 공화당 상원전국위원회나 미국 상공회의소(U.S. Chamber of Commerce) 등 기업인 단체들로부터 충분한 자금을 조달 받고 있는 공화당 주류 지원 후보와 비교하여 크게 열세를 보였다.[7] 또 한 미시시피 주의 맥다니엘(McDaniel), 켄터키 주의 베빈(Bevin), 캔 사스 주의 월프(Wolf), 노스 캐롤라이나 주의 브레넌(Brannon) 등 적 지 않은 티파티운동 지지후보들의 경우에는 개인적인 문제가 노출되어 후보 자질의 문제가 제기되기도 하였다.

7   2014년 공화당 예비선거 과정에서 티파티운동을 상대로 한 미국 상공회의소의 공화당 주류
     의원들에 대한 지원에 관하여는 Haberman(2014)을 참조.

III. 공화당 예비선거 과정 및 결과

1. 공화당 예비선거에서의 경쟁구도

2014년에 연방상원 선거가 치러진 주는 모두 34개 주이고 이들 34개 주 중 사우스 캐롤라이나 주와 오클라호마 주에서는 보궐선거가 동시에 치러졌기 때문에 실제로는 36명의 상원의원을 선출하는 선거가 치러졌다. 하지만 공화당 주류와 티파티운동 간의 당내 경쟁은 민주당이 우세한 11개 주에서는 그 의미를 찾기 어렵기 때문에 여기에서는 공화당이 우세하거나 공화당과 민주당이 경합을 벌였던 23개 주의 25명의 공화당 상원의원 후보를 선출하는 예비선거에 국한하여 보고자 한다. 이들 25개의 공화당 예비선거 중 실제로 공화당 주류 후보와 티파티운동 후보 간의 의미있는 경쟁이 벌어졌던 예비선거(또는 코커스)는 14개 주에서 치러진 바 있는데 14개 주 모두 본선거에서 공화당이 우세하거나 민주당과 경합을 벌였던 주들이었고 민주당이 우세한 주는 한 곳도 없었다.

2014년 연방 상원의원 후보 선출을 위한 공화당 예비선거에서 예비선거에 나섰던 현직의원은 모두 12명이었다. 이들 12명 현직 상원의원 중 티파티운동의 강한 도전을 받았던 상원의원은 텍사스 주의 코닌(John Cornyn), 켄터키 주의 매코널(Mitch McConnell), 미시시피 주의 커크란(Thad Cochran), 사우스 캐롤라이나 주의 그래햄(Lindsay Graham), 캔사스 주의 로버츠(Pat Roberts), 그리고 테네시 주의 알렉산더(Lamar Alexander) 등 모두 6명이었다. 이들 6명의 현직 상원의원들은 티파티운동의 지지를 받았던 텍사스 주의 스턱맨(Stockman), 켄터키 주의 베빈(Bevin), 미시시피 주의 맥다니엘(McDaniel), 사우스 캐롤라이나 주의 브라이트(Bright), 캔사스 주의 월프(Wolf), 테네시 주의 카(Carr) 등과 경쟁을 벌였다. 이 중 가장 치열한 경쟁이 벌어졌던 주는 결선까지 두 차례의 경선을 치렀던 미시시피 주이었고, 캔사스, 테네시 주 등에서도 경쟁적인 경선을 치른 바 있다. 하지만 미시시피 주에서 티파티운동의 지지를 받았던 맥다니엘(McDaniel) 후보가 결선까지 가는 치열한 접전에도 불구하고 결국 현직의원인 커크란(Cochran)에게 패배했고 나머지 5개 주에서도 모두 현직의원의 경선 승리로 마무리되었다.

이외에도 현직의원과의 경선은 아니었지만 공화당 주류와 티파티운동 간에 경쟁적인 경선을 치렀던 주는 노스 캐롤라이나 주(Tillis vs Brannon), 네브라스카 주(Osborn vs Sasse), 아이오아 주(Ernst vs Clovis), 오클라호마 주(Lankford vs Shannon), 조지아 주(Perdue vs Handel), 알래스카 주(Sullivan vs Miller), 사우스 다코타 주(Rounds vs Rhoden), 뉴 햄프셔 주(Brown vs Smith) 등 8개 주이다. 하지만 티파티운동의 지지를 받았던 후보가 승리한 주는 새스(Ben Sasse) 후보가 승리한 네브라스카 주 1개 주에 불과하다.

2. 공화당 예비선거 결과 분석

공화당이 우세하거나 민주당과 경합을 벌였던 23개 주 25개(2개의 보궐선거를 포함하여) 상원 공화당 예비선거 중에서 공화당 주류 후보와 티파티운동 지지후보 간의 의미있는 경쟁이 치러진 14개 예비선거를 제외한 나머지 11개 예비선거의 경우에는 예비선거에서 경쟁이 없었거나 선출된 후보가 70% 이상의 지지를 받아 압도적으로 우세한 주들이다. 〈표 4-3〉에서는 공화당 우세주나 경합주의 예비선거에 영향을 미칠 수 있는 요인들을 공화당 주류 후보와 티파티운동 지지후보 간의 의미있는 경쟁이 있었던 〈표 4-3〉 상단의 14개 예비선거와 의미있는 경쟁이 이루어지지 않았던 표 하단의 11개 예비선거로 나누어서 보여주고 있다. 공화당 주류 후보와 티파티운동 지지후보 간의 의미있는 경쟁이 치러졌던 14개 예비선거의 경우에는 이들 후보 간의 득표율 차이를 보여주고 있으며[8] 네브라스카 1개 주를 제외하고는 모두 공화당 주류 후보가 티파티운동 지지후보에게 승리한 득표율 차이를 보여주고 있다.

의미있는 경쟁이 치러진 14개 주에서 공화당 주류 후보와 티파티운동 지지후보 간의 경쟁을 분석하는 데 있어 영향을 줄 수 있는 요인으로는 공화당 우세주인지 경합주인지 여부, 오바마 대통령에 대한 지지율, 2012년 대통령선거에서 오바마와 공화당 롬니 후보 간의 득표율 차이, 각 주의 공화당 지지자 비율, 각 주의 공화당 지지자 비율과 민주당 지지자 비율의 차이, 각 주의 보수적 이념성향을 갖고 있는 유권자 비율, 각 주의 종교적인 유권자 비율, 각 주의 백인 인구 비율, 각 주의 경제신뢰지수 점수, 공화당 주류 후보와 티파티운동 지지후보의 선거자금 모

---

[8]   예비선거에서 경쟁이 없었거나 선출된 후보가 70% 이상의 지지를 받아 의미있는 경쟁이 이루어졌다고 보기 어려운 11개 예비선거의 경우에는 공화당 주류 후보와 티파티운동 지지후보 간의 득표율 차이를 표시하지 않았다.

표 4-3 2014년 상원 공화당 예비선거 결과 및 영향을 미친 요인

주	주류/티파티 득표율 차이(%)	공화당 우세/경합	오바마 지지율 (%)	오바마/롬니 득표율 차이(%)	공화당 지지자 비율 (%)	공화당/민주당 지지율 차이(%)	보수적 주민 비율 (%)	종교적 주민 비율 (%)	백인 주민 비율 (%)	경제 신뢰 지수 점수	선거 모금액 차이 (천불)	현직자 유무
NE	-28.3	우세	37.5	-21.8	50.8	16.3	41.7	46.8	82.1	-9	1,625	무
MS	1.8	우세	41.6	-11.5	45.7	6.4	47.9	61.1	58.0	-23	2,818	유
KS	7.3	우세	35.1	-21.7	52.0	20.7	41.7	46.8	78.2	-18	2,231	유
AK	8.1	경합	33.5	-14.0	48.8	20.0	43.1	37.6	64.1	-32	3,246	무
GA	8.6	경합	45.4	-7.8	43.2	2.9	41.8	52.2	55.9	-17	3,393	무
TN	9.1	우세	38.0	-20.4	45.4	7.3	44.9	54.3	75.7	-25	5,036	유
NC	18.6	경합	43.0	-2.0	41.9	0.6	40.0	49.5	65.3	-19	2,715	무
OK*	22.8	우세	32.1	-33.6	48.6	13.1	45.0	49.2	68.6	-26	674	무
KY	24.8	경합	35.1	-22.7	43.0	-1.5	40.9	48.5	86.3	-28	8,077	유
NH	27.5	경합	44.6	5.6	44.7	3.0	36.9	23.7	92.3	-14	6,223	무
SD	37.3	우세	31.7	-18.0	51.0	17.0	42.7	46.0	84.8	-21	3,228	무
LA	38.2	경합	42.4	5.8	42.7	2.1	40.1	43.2	88.7	-9	2,169	무
TX	40.3	우세	45.6	-15.8	41.9	3.9	40.5	47.5	45.3	-8	9,559	유
SC	41.0	우세	42.1	-10.5	47.8	10.2	45.1	54.3	64.1	-18	6,141	유
ID		우세	32.1	-31.9	53.3	24.4	47.5	47.0	83.9	-27	1,544	유
AR		경합	34.9	-23.7	42.5	3.7	45.2	51.4	74.5	-27	5,613	무
AL		우세	37.3	-22.1	48.5	10.9	44.7	57.4	67.0	-24	972	유
CO		경합	42.3	5.4	44.1	3.8	36.9	35.4	70.0	-11	4,600	무
ME		우세	44.9	6.3	36.8	-6.1	32.6	27.2	94.4	-22	4,139	유
MT		우세	33.1	-13.7	47.6	13.2	45.2	37.7	87.9	-25	4,365	무
OK		우세	32.1	-33.6	48.6	13.1	45.0	49.2	68.6	-26	2,727	유
SC*		우세	42.1	-10.5	47.8	10.2	45.1	54.3	64.1	-18	5,258	유
WV		우세	25.1	-26.8	41.3	-1.3	41.6	42.0	93.1	-44	5,354	무
WY		우세	22.5	-40.8	60.1	40.1	51.4	36.3	85.8	-29	2,885	유
LA		경합	40.0	-17.2	42.6	2.0	44.1	56.1	60.3	-24	4,376	무

* 보궐선거

주 명칭은 NE(네브라스카), MS(미시시피), KS(캔사스), AK(알래스카), GA(조지아), TN(테네시), NC(노스 캐롤라이나), OK(오클라호마), KY(켄터키), NH(뉴 햄프셔), SD(사우스 다코타), IA(아이오와), TX(텍사스), SC(사우스 캐롤라이나), ID(아이다호), AR(아칸소), AL(앨라배마), CO(콜로라도), ME(메인), MT(몬태나), WV(웨스트 버지니아), WY(와이오밍), LA(루이지애나)임.

출처: http://elections.nytimes.com/2014/calendar;http://www.nytimes.com/newsgraphics/2014/senate-model; Gallup(2014); Federal Election Commission(2012, 2014); U.S. Census(2011)

금액 차이, 그리고 마지막으로 각 주 공화당 예비선거의 현직자 후보 유무 등을 사용하였다. 공화당 주류 후보와 티파티운동 지지후보 간의 경쟁에 영향을 주는 요인으로 코커스 또는 폐쇄형, 반폐쇄형, 개방형 예비선거 등 각 주의 후보선출 방식의 차이도 영향을 줄 수 있을 것으로 예상하였으나 예상과 달리 경쟁에 전혀 영향을 미치고 있지 못하여 제외시켰고, 각 주가 지역적으로 남부인지 비남부인지 여부도 같은 이유로 분석에 사용하지 않았다.

각 요인들이 공화당 주류 후보와 티파티운동 지지후보 간의 경쟁에 어느 정도 영향을 미치고 있는지를 보기 위하여 먼저 의미있는 경쟁이 치러진 14개 주 전체의 각 요인의 평균치를 구하고 평균치를 상회하는 주들과 하회하는 주들의 공화당 주류 후보의 티파티운동 지지후보에 대한 승리 격차(Margin of Victory) 비율의 평균값을 비교하는 분석을 시도하였다. 또한 필요한 경우에는 공화당 주류 후보의 티파티운동 지지후보에 대한 승리 격차가 10% 미만으로 근소한 미시시피, 캔사스, 알래스카, 조지아, 테네시 주와 티파티운동 지지후보가 승리한 네브라스카 주 등 6개 주와 공화당 주류 후보의 승리 격차가 40% 전후인 사우스 다코다, 아이오와, 텍사스, 사우스 캐롤라이나 주 등 4개 주의, 즉 티파티운동 지지후보가 승리하였거나 근소한 차이로 패배한 주와 공화당 주류 후보가 큰 폭으로 승리한 주의 요인별 평균치에 대한 비교분석을 시도하였다. 마지막으로 공화당 우세주/경합주 요인과 현직자 후보 유무 요인의 경우에는 양변인 별 평균치를 단순 비교 분석하였다.

공화당 주류 후보와 티파티운동 지지후보 간의 의미있는 경쟁이 치러진 14개 주 중 공화당 우세주는 8개 주이고 경합주는 6개 주이었다. 공화당 주류 후보의 티파티운동 지지후보에 대한 평균 승리 격차는 공화당 우세주가 16.4%, 경합주 21.0%로 공화당 우세주에서 티파티운동 지지후보에 대한 공화당 주류후보의 승리 격차가 경합주보다 적게 나타나고 있다. 이는 경합주보다는 공화당 우세주에서 티파티운동 지지후보가 상대적으로 강세에 있음을 보여주고 있다. 특히 이들 의미있는 경쟁이 치러진 14개 주 중 티파티운동 지지후보가 승리했거나 10% 미만의 격차로 공화당 주류 후보를 추격하고 있는 6개 주로 좁혀서 보면 경합주보다 공화당 우세주에서의 티파티운동 지지후보의 상대적 강세는 더욱 뚜렷해진다. 공화당 주류 후보와 티파티운동 지지후보 간 득표율이 10% 미만으로 근접하고 있는 6개 주 중 공화당 우세주는 4개 주, 경합주는 2개 주의 분포를 보이고 있으며, 티파티운동 지지후보에 대한 공화당 주류 후보의 평균 승리 격차는 공화당 우세주가 −2.5%, 경합주가 8.4%로 우세주와 경합주 간의 차이가 10% 이상으로 확대되고 있다.

티파티운동 지지자들이 공유하고 있고 이들을 결집시키는 대표적 요인 중 하나는 오바마 대통령에 대한 부정적인 태도, 즉 반오바마 정서이다. 의미있는 경쟁이 치러진 14개 주의 오바마 대통령에 대한 평균 지지율은 39.1%이다. 14개 주 중 오바마 대통령 평균 지지율을 상회하는 지지율을 갖고 있는 7개 주의 티파티운동 지지후보에 대한 공화당 주류 후보의 평균 승리 격차가 25.1%인데 반하여 오바마 대통령에 대한 평균 지지율을 밑도는 지지율을 갖고 있는, 즉 반오바마 정서가 상대적으로 강한 7개 주의 공화당 주류 후보의 평균 승리 격차는 11.6%로 절반 이하의 큰 폭으로 줄어들고 있다.

티파티운동 지지자들을 결집시키는 오바마 대통령에 대한 부정적인 태도가 공화당 주류 후보와 티파티운동 지지후보 간의 경선에 영향을 미치고 있음은 2012년 대통령선거에서 오바마와 롬니 후보 간 득표율 격차와 같은 다른 관련 지표에서도 확인할 수 있다. 공화당 주류 후보와 티파티운동 지지후보 간에 의미있는 경쟁이 치러진 14개 주 중 티파티운동 지지후보가 40% 전후의 큰 격차로 패배한 4개 주의 2012년 대통령선거에서 오바마와 롬니 후보 간의 평균 득표율 격차가 -12.5%인데 비하여, 즉 공화당의 롬니 후보가 평균 12.5% 앞섰던 데 비하여, 티파티운동 후보가 승리했거나 10% 미만의 격차로 공화당 주류 후보를 추격하고 있는 6개 주의 오바마와 롬니 후보 간의 평균 득표율 격차는 -16.2%로 훨씬 더 벌어져 있음을, 즉 공화당의 롬니 후보가 더욱 크게 승리했음을 확인할 수 있다.

티파티운동 지지자들이 대부분 공화당 지지자임을 고려한다면[9] 공화당 지지자 비율이 높은 주에서 티파티운동이 강세를 보일 가능성이 많다. 의미있는 경쟁이 치러진 14개 주의 주 전체 인구 대비 공화당 지지자들의 평균 비율은 46.3%이고 평균 비율을 하회하는 8개 주에 있어 공화당 주류 후보의 평균 승리 격차는 21.1%이다. 반면에 평균 비율을

---

9   티파티운동 지지자 중 공화당 지지자 또는 공화당 편향 무당파 유권자의 비율은 92%에 달하고 있다(Pew Research Center 2013).

상회하는, 즉 주 전체 인구에서 공화당 지지자들의 비율이 상대적으로 높은 6개 주의 공화당 주류 후보의 평균 승리 격차는 티파티운동 지지 후보의 강세를 반영하여 14.7%로 크게 줄어들고 있다.

마찬가지로 각 주의 공화당 지지자 비율과 민주당 지지자 비율 간의 격차가 큰 주에서 티파티운동 지지후보가 보다 높은 지지를 끌어냈을 것으로 예상할 수 있다. 실제로 의미있는 경쟁이 치러진 14개 주 중 티 파티운동 지지후보가 40% 전후의 큰 격차로 패배한 4개 주에서 공화당 지지자 비율이 민주당 지지자 비율보다 평균 8.3% 우위에 있지만 티파 티운동 지지후보가 승리했거나 10% 미만의 격차로 공화당 주류 후보 를 추격하고 있는 6개 주에서의 공화당 지지자 비율의 우위는 12.3%로 더욱 확대되고 있다.

티파티운동 지지자들의 강한 보수적 이념성향을 고려한다면 이념적 으로 보수적인 성향이 강한 주에서 티파티운동 지지후보가 보다 강세를 보일 가능성이 많다. 공화당 주류 후보와 티파티운동 지지후보 간에 의 미있는 경쟁이 치러진 14개 주 중 티파티운동 지지후보가 승리했거나 10% 미만의 격차로 공화당 주류 후보를 추격하고 있는 6개 주의 보수 적인 이념성향을 가진 인구의 평균 비율은 43.5%인데 반하여 티파티 운동 지지후보가 40% 전후의 큰 격차로 패배한 4개 주의 보수적인 인 구의 평균 비율은 42.1%로 차이는 크지 않지만 상대적으로 낮게 나타 나고 있다.

낙태, 동성애자, 학교예배 등 사회적 쟁점이나 문화적 쟁점들과 같은 비경제적 쟁점들에 대한 입장을 취하는 데 있어 종교적 요인은 큰 영향을 미치고 있다.[10] 즉 얼마나 종교적이냐 또는 세속적(비종교적)이냐에 따라 비경제적 쟁점에 대한 입장은 크게 달라지고 있다. 의미있는 경쟁이 치러진 14개 주 중 티파티운동 지지후보가 승리했거나 10% 미만의 격차로 공화당 주류 후보를 추격하고 있는 6개 주의 종교적인 인구의 평균 비율은 49.8%인데 비하여 티파티운동 지지후보가 40% 전후의 큰 격차로 패배한 4개 주의 종교적인 인구의 비율은 47.8%로 상대적으로 낮게 나타나고 있다.

티파티운동 지지자들은 종교적인 성향이 보다 뚜렷하고 강한 보수성향을 갖고 있을 뿐 아니라 비백인의 비율이 빠르게 증가하면서 백인이 조만간 소수 인종으로 전락할지도 모른다는 불안감과 이로 인해 비백인 인종에 대한 인종적 혐오감을 갖고 있는 경우가 적지 않다. 실제로 티파티운동 지지자들은 인종적으로 백인의 비율이 압도적으로 높다.[11] 이러한 티파티운동 지지자들의 백인 편중 현상을 고려한다면 주 전체 인구에서 백인이 차지하는 비율이 높은 주가 백인 비율이 상대적으로 낮은 주와 비교하여 티파티운동 지지후보의 도전이 더욱 거셀 것이라 예상할 수 있다. 공화당 주류 후보와 티파티운동 지지후보 간에 의미있는 경쟁이 치러진 14개 주의 평균 백인 비율은 72.1%이고 평균비율을 하회하는 7개 주에 있어 공화당 주류 후보의 평균 승리 격차가 20.2%인데 반하여 백인 비율이 상대적으로 높은, 평균 비율을 상회하는 7개 주의 공

10   Abramowitz 2013; Fiorina and Abrams 2011.
11   전체 인구에서 백인이 차지하는 비율이 68%인데 비하여 티파티운동 지지자 중 백인의 비율은 83%로 전체인구 중 백인 비율보다 15% 가량 높다(Pew Research Center 2013).

화당 주류 후보의 평균 승리 격차는 티파티운동 지지후보의 강세를 반영하여 16.5%로 줄어들고 있다.

보수적인 성향의 티파티운동 지지자들이 종교적 요인의 영향을 많이 받는 사회적 또는 문화적 쟁점들보다 더 많은 관심을 갖고 있는 문제들은 경제적 쟁점들이다. 특히 오바마 행정부 출범 이후 극심한 당파적 논쟁 속에서 진행된 건강보험 개혁으로 인한 재정지출 증가 우려와 금융위기 극복을 위해 투입한 천문학적 규모의 재정지출로 크게 확대되고 있는 재정적자 문제, 또 이로 인해 급속도로 늘어나고 있는 연방부채 문제 등과 같은 경제적 쟁점들은 보수적인 티파티운동 지지자들의 중요한 관심 사항이다. 그리고 이러한 경제적인 쟁점들에 대한 티파티운동 지지자들의 반응은 경제적 상황이 상대적으로 좋지 않은 주들에서 보다 민감해질 수 있고 이는 티파티운동 지지후보에 대한 높은 지지로 표출될 수 있을 것이다. 주별 경제신뢰(Economic Confidence) 지수는 유권자들이 체감하는 각 주의 경제 상황을 반영하는 지표가 될 수 있다. 공화당 주류 후보와 티파티운동 지지후보 간에 의미있는 경쟁이 치러진 14개 주 중 티파티운동 후보가 승리했거나 10% 미만의 격차로 공화당 주류 후보를 추격하고 있는 6개 주의 평균 경제신뢰지수 점수는 -20.7로 티파티운동 지지후보가 40% 전후의 큰 격차로 패배한 4개 주의 평균 경제신뢰지수 점수 -14.0과 비교하여 크게 낮은 것으로, 즉 향후 경제 전망을 훨씬 비관적으로 보고 있는 것으로 나타나고 있다. 이처럼 경제신뢰지수 점수가 상대적으로 낮은 주에서 티파티운동 후보들이 강세를 보이고 있는 것은 낮은 경제신뢰도가 티파티운동 지지자들의 오바마 정부에 대한 반감과 함께 상대적으로 좋지 않은 경제상황으로 인하여 경제적인 쟁점들에 대한 높아진 민감도를 일정 정도 반영하고 있는 것으로 해석될 수 있다.

공화당 주류 후보와 티파티운동 지지후보 간에 의미있는 경쟁이 치러진 14개 주에서 오바마 대통령에 대한 지지율이나 공화당 지지자 비율 못지않게 후보 경선에 강한 영향을 미치고 있는 주요 요인은 선거자금(Campaign Fund) 모금액 규모이다. 선거자금 모금에 관한 한 14개 주 모두에서 공화당 주류 후보가 티파티운동 지지후보보다 우위에 있는 것으로 나타나고 있다. 미국의 경선을 포함한 선거과정에서 선거자금은 위력을 발휘하고 있기 때문에 공화당 주류 후보와 티파티운동 지지후보 간의 선거자금 모금액 차이가 클수록 두 후보 간 득표율 격차가 더 확대되리라 예상해 볼 수 있다. 실제로 공화당 주류 후보와 티파티운동 지지후보 간의 선거자금 모금액 차이의 평균값은 4,081천불이고 평균값을 하회하는 9개 주에서 양 후보 간의 득표율 평균 격차가 12.7%인데 비하여 평균값을 상회하는 5개 주에서 공화당 주류 후보와 티파티운동 지지후보 간의 득표율 평균 격차는 28.5%로 득표율 격차가 두 배 이상 크게 확대되고 있다. 또한 의미있는 경쟁이 치러진 14개 주 중 티파티운동 지지후보가 승리했거나 10% 미만의 격차로 공화당 주류 후보를 추격하고 있는 6개 주의 양 후보 간 선거자금 모금액 차이의 평균 액수가 3,058천불인데 비하여 티파티운동 지지후보가 40% 전후의 큰 격차로 패배한 4개 주의 양 후보 간 선거자금 모금액 차이의 평균 액수는 5,274천불로 공화당 주류 후보와 티파티운동 지지후보 간에 선거자금 모금액의 차이가 크게 벌어질수록 양 후보 간 득표율 차이도 커지고 있음을 다시 한번 확인할 수 있었다.

경선을 포함한 미국 선거과정에서 일반적으로 중요하게 작용하는 또 다른 요인은 현직자 잇점(Incumbent Advantage)이다. 공화당 주류 후보와 티파티운동 지지후보 간에 의미있는 경쟁이 치러진 14개 주 중 현직자가 있는 6개 주에서 공화당 주류 후보와 티파티운동 지지후보 간 득표율 평균 격차는 20.7%로 현직자가 없는 8개 주의 양 후보 간 득표율 평균 격차 16.6%보다 득표율 차이가 확대되어 있어 공화당 주류 후보와 티파티운동 지지후보 간의 경선과정에서도 현직자 효과가 나타나고 있음을 확인할 수 있다.

내전으로까지 불렸던 공화당 상원 예비선거가 공화당 주류의 승리로 마감하게 된 데에는 지금까지 살펴본 요인들 이외에도 후보 요인이나 제도적 요인 등 여러 요인들이 작용할 수 있고 사례 수의 제약으로 보다 엄밀한 분석을 시도하지 못한 한계가 있지만 공화당 주류와 티파티운동 간의 의미있는 경쟁이 치러진 14개 주의 주별 11개 요인을 중심으로 살펴본 결과 특히 큰 영향을 미친 요인들로는 오바마 대통령 지지율, 공화당 지지자의 비율, 백인 유권자의 비율, 경제신뢰 지수, 예비선거 후보의 선거자금 모금액의 규모 등을 들 수 있다. 반면에 경선방식, 보수적 유권자 비율, 종교적 유권자 비율 등은 경선 결과에 영향을 미치지 못하였거나 미미한 정도에 그치고 있다. 이러한 분석 결과는 공화당 주류와 티파티운동 간의 2014년 공화당 상원 경선 결과에 이념이나 종교적 성향보다는 반오바마 정서, 소수인종에 대한 태도, 경제상황에 대한 인식, 그리고 현실적 요인으로 선거 모금액 규모 등이 더욱 크게 작용하고 있다고 볼 수 있다. 결국 종교 등과 관련된 사회적, 윤리적, 문화적 쟁점들을 둘러싼 갈등보다는 반오바마 정서, 이민법 개정 문제로 구체화되고 있는 인종 갈등, 그리고 과도한 재정지출 및 이로 인해 초래된 사상 최대의 연방부채 등으로 경제상황이 악화되고 있다는 인식 등이 티파티운동 지지자들을 결집시키는 주된 요인으로 작용하고 있는 것으로 보인다.

IV. 공화당 예비선거 및 본선거 평가

상당수의 현직 상원의원이 티파티운동 지지후보의 도전으로 경선에서 패배할 거라는 초기의 예상과는 달리 2014년 공화당 상원 예비선거에서는 2008년 선거 이후 처음으로 12명의 현직의원 모두가 공화당 후보로 재선출되었고 현직자가 없는 주의 경우에도 네브라스카 1개 주를 제외하고는 공화당 주류가 지지하는 후보가 모두 선출되었다. 결국 티파티운동과 주류 간의 공화당 내전이라고까지 불렸던 치열한 경쟁은 공화당 주류의 압승으로 마감되었다.

하지만 비록 공화당 상원의원 현직자 중 2014년 공화당 상원 예비선거에서 패배한 의원은 없었지만 이들 현직의원들의 예비선거 득표율은 지속적으로 감소하고 있다. 2004, 2006, 2008년 세 차례의 상원 예비선거에서 현직의원들의 평균 득표율은 89%였던 반면, 티파티운동이 등장하여 선거에 본격적으로 개입했던 2010년과 2012년 두 차례 예비선거에서 현직의원의 예비선거 평균 득표율은 78%로 감소된 바 있다. 이번 2014년 상원 예비선거에서 현직의원들의 평균 득표율은 더욱 낮아져 73%까지 떨어지고 있다(Silver 2014).

반면에 공화당 상원의원 현직자 중 상원 본선거에서 패배한 현직의원들의 숫자는 2010년과 2012년 선거에서 전체 19명의 현직의원 중 3명에 불과하였고, 이 중 알래스카 주의 머코스키(Murkowski) 상원의원은 상원 예비선거에서 패배하였지만 본선거에서 무소속으로 출마하여 당선되었기 때문에 실제 본선거에서 패배한 현직의원은 2명에 불과하였다. 2014년 중간선거에서도 본선거에서 패배한 현직의원은 단 1명도 없어 선거과정에 현직의원의 잇점이 여전히 강하게 작용하고 있음을 잘 보여주고 있다.

미국 선거에서 대통령선거가 있는 해의 선거와 대통령선거가 없는 중간선거의 중요한 차이 중 하나는 투표율이다. 즉 대통령선거가 있는 해의 투표율은 대통령선거가 없는 중간선거와 비교하여 대략 15% 내지 20% 정도 높다. 예를 들어 대통령선거가 치러졌던 2008년 투표율은 61.6%로 2010년 중간선거의 투표율 40.9%보다 20% 이상 높다. 마찬가지로 대통령선거이 있었던 2012년 투표율은 58.2%로 이번 2014년 중간선거의 투표율 36.3%보다 역시 20% 이상 높다(U.S. Elections Project, University of Florida). 이는 대통령선거가 있는 경우에는 통상 투표율이 상대적으로 저조한 집단인 젊은 세대, 소수인종, 여성 및 저소득층 유권자들이 대거 선거에 참여하기 때문이다. 따라서 중간선거의 경우에는 상대적으로 나이든 세대, 백인, 남성, 그리고 경제적 여유가 있는 계층의 투표가 더 많이 이루어지게 되고 이는 정당 지지 성향으로 볼 때 민주당보다는 공화당, 특히 티파티운동을 지지하는 공화당 지지자들의 선거 참여비율을 상대적으로 높이는 결과를 가져올 가능성이 많다.[12]

2014년 중간선거 중 상원 본선거 결과를 보면[13] 공화당이 우세했던 14개 상원선거[14] 모두에서 공화당 후보가 승리하였고 평균 득표율은 62.5%이었다. 반면에 민주당과 경합을 벌였던 10개 상원선거의 경우[15] 민주당이 승리한 뉴 햄프셔 주를 제외한 9개 주에서 공화당 후보가 승리하였고 평균 득표율은 50.7%로 공화당 우세주 평균 득표율보다 11.8% 낮았다. 공화당이 우세했던 14개 선거 중 공화당 주류 후보와 티파티 지지후보 간에 경쟁적인 경선을 치렀던 7개의 선거에서 공화당 후보의 평균 득표율은 60%로 경쟁적인 경선이 이루어지지 못했던 나머지 7개 선거에서의 득표율 65%보다 5% 가량 낮았다. 반면에 민주당과 경합을 벌였던 10개 선거 중 공화당 주류 후보와 티파티 지지후보 간에 경쟁적인 경선을 치렀던 7개 선거에서 공화당 후보의 평균 득표율은 51%로 경쟁적인 경선이 없었던 나머지 3개 선거에서 공화당 후보의 평균 득표율 49%와 큰 차이가 없었다.

---

12 Skocpol and Williamson 2013.
13 2014년 중간선거 결과는 http://elections.nytimes.com/2014/results/senate를 참조.
14 공화당 우세주로 분류되었던 앨라배마 주는 세션스(Sessions) 현직 공화당 의원이 무투표 당선되어 제외한다.
15 10개 경합주 중 캔사스 주의 경우에는 민주당이 후보를 내지 않아 공화당 후보와 무소속 후보가 경쟁을 벌였다.

결국 2010년이나 2012년과 달리 2014년 공화당 상원 예비선거에서
는 대부분 상대적으로 높은 본선거 경쟁력을 갖고 있는 주류 후보가 공
화당 후보로 선출됨에 따라 상원 본선거에서 공화당이 압승하는 데 적
지 않은 기여를 할 수 있었다. 경합주의 경우에는 공화당 주류 후보에
대한 티파티 지지후보의 도전이 공화당 주류 후보의 본선거 득표율에
별반 영향을 미치지 못하고 있지만 우세주의 경우에는 티파티 지지후보
와 경쟁적인 경선을 치렀던 공화당 주류 후보의 본선거 득표율이 경쟁
적인 예비선거를 치르지 않았던 주류 후보의 득표율보다 낮게 나타나고
있음을 확인할 수 있었다. 공화당 우세주와 경합주 간의 이러한 차이는
티파티운동 지지후보의 경선 패배로 인한 티파티운동 지지자들의 실망
이 공화당 우세주에서는 공화당 후보들의 득표율 하락에 일정 정도 영
향을 주었던 반면, 민주당과 치열한 경쟁을 벌였던 경합주의 경우에는
티파티운동 지지후보의 패배에도 불구하고 티파티운동 지지자들이 민
주당과의 경쟁에서 승리를 위해 선거에 참여하여 공화당 후보를 지지했
을 가능성이 있는 것으로 해석될 수 있다.

V. 정당분극화 및 향후 정치과정에의 함의

2010년 중간선거 이후의 정당분극화 심화가 공화당의 보수화에 기인
한 바가 많고 공화당 보수화는 티파티운동에 의해 추동된 측면이 크다.
이러한 점을 감안하여 지금부터는 이번 2014년 중간선거에서, 특히 연

방 상원선거에서 표출된 티파티운동과 공화당 주류 간의 갈등 양상이 향후 정당분극화 및 정치과정에 어떻게 영향을 미치게 될 지에 관하여 논의하고자 한다.

공화당 예비선거에서 공화당 주류 후보들이 많이 선출되었지만 사실 이들 공화당 주류 후보들의 이념적 성향이나 정책적 입장에서 티파티운동 지지후보와의 차이는 크지 않다. 따라서 비록 티파티운동 지지후보가 거의 선출되지 못했지만 공화당의 이념이나 정책 내용은 이미 전반적으로 티파티운동의 영향을 크게 받아 이전보다 보수화되었고 이런 점에서 티파티운동의 영향력이 약화되고 있다고 볼 수만은 없다.[16] 또한 2014년 6월 버지니아 주 제7하원선거구 공화당 예비선거에서 하원 공화당 대표이었고 차기 하원의장으로 유력시되었던 캔터 의원을 누르고 티파티운동 지지후보인 무명의 브랫(Brat) 후보가 승리했던 것처럼 티파티운동은 공화당 경선에서 보수적인 공화당 지지자들을 동원하여 경선 결과에 커다란 영향력을 발휘할 수 있는 힘을 갖고 있다.

하지만 이러한 티파티운동의 강한 영향력은 공화당 지지기반의 외연을 확장시키는 데 결정적인 걸림돌로 작용하고 있다. 캔터 공화당 대표의 경선 패배와 관련해서도 캔터 대표가 미국 유권자 집단에서 차지하는 비율이 빠르게 증가하고 있는 히스패닉 집단을 의식하여 이민법 개정 문제에 있어 오바마 대통령과 타협적 입장을 취해 왔던 것이 예비선거 패배의 주요인으로 작용한 바 있다. 캔터가 공화당 지도부의 일원으

---

16   Conroy 2014.

로서 선거, 특히 2016년 대통령선거에서의 승리를 위하여 공화당 지지 기반의 외연을 확장시키려고 노력했던 것은 어찌 보면 당연하다 할 수 있다. 하지만 이념이나 구체적 정책보다는 오바마 대통령에 대한 반대 라는 명분을 무엇보다 중시하고 보수의 순수성을 강조하는 티파티운동 가들의 입장에서는 외연 확장을 위한 타협은 용납될 수 없는 것이다.[17]

실제로 2013년 7월에 실시된 퓨 리서치 조사(Pew Research Center 2013)에 따르면 공화당 지지자 중 의회에서 민주당을 상대함에 있어 공화당이 너무 많이 타협하고 있다고 생각하는 티파티운동 지지자들의 비율은 50%로 티파티운동을 지지하지 않는 공화당 지지자들의 비율 21%와 비교하여 매우 높게 나타나고 있다. 이와는 대조적으로 공화당의 민주당과의 타협이 충분하지 않았다라고 생각하는 티파티운동 지지자들의 비율은 14%로 티파티운동을 지지하지 않는 공화당 지지자들의 비율 39%와 비교하여 매우 낮게 나타나고 있다. 많은 티파티운동 지지자들은 자신들만이 진정한 애국적인 미국인들이기 때문에 생각이 다른 사람들과의 쌍방향 대화는 필요 없으며 공화당 의원들은 선거 때 자신들에게 했던 약속을 실천하기 위해 고용된 대리인들이라고 생각하는 경향이 강하다. 또한 티파티운동을 지지하지 않는 사람들은 티파티운동이 추구하는 내용들을 교육받아야 될 대상이고 나아가 민주당 지지자들은 복지 의존자들, 납세자들에 기생하여 살아가는 공공부문 종사자들,

---

17 티파티운동과 주류 간의 공화당 내전이 시간이 지나면서 점차 이념이나 구체적 정책보다는 누가 더 타협하지 않는 진정한 보수의 순수성을 견지하고 있는가 하는 명분을 둘러싼 다툼으로 변질되고 있는 변화에 대한 설명은 Waldman(2014), Everett(2014)을 참조.

불법적으로 투표하는 이민자들로 구성되어 있기 때문에 이들과 대화하는 것은 시간 낭비이고 민주당과의 협상이나 타협은 있을 수 없다는 매우 비타협적인 태도를 갖고 있다.[18]

이처럼 공화당 경선 과정에서 강력한 영향력을 행사하고 있는 티파티운동의 비타협적인 태도는 경선 및 본선거 과정에서 티파티운동의 지지 여부에 관계없이 계속하여 선거를 치러야 하는 상황에서 티파티운동의 입장을 의식하지 않을 수 없는 공화당 의원들에게는 입법과정 등 국정운영에서 융통성을 발휘하는 데 커다란 제약 요인으로 작용하고 있다. 그 결과 입법과정이나 국정운영에 있어 정당 간의 타협과 절충의 여지를 적게 함으로써 정당 간 대립을 더욱 심화시킬 수 있다. 더욱이 대통령선거와 의회선거, 그리고 연방상원 선거와 연방하원 선거의 상이한 선거지형을 고려한다면 앞으로도 집권당과 의회의 다수당이 다른 분점정부(Divided Government)가 출현할 가능성은 높다. 이러한 분점정부 상황에서 정당 간 대립의 심화는 보다 빈번한 정치적 교착 상황을 야기할 수 있고 결국 원활한 국정운영에 큰 부담으로 작용할 가능성이 크다.

향후 티파티운동의 영향력 변화 추세와 관련하여 최근 미국 선거, 특히 의회선거의 경쟁도 변화는 주목할 필요가 있다. 이는 강한 보수 이념성향을 갖고 있는 티파티운동의 영향력 증가는 1990년대 이후 선거구의 경쟁도에 있어 경쟁적인 선거구가 감소하면서 비경쟁적인 선거구가 증가하고 있는 것과도 관련되어 있기 때문이다. 비경쟁적인 선거구

18 Skocpol and Williamson 2013.

표 4-4 티파티운동에 대한 태도 변화(%)

구분	일반유권자		공화당 지지자/ 공화당 편향 무당파 유권자		민주당 지지자/ 민주당 편향 무당파 유권자	
	2010.10	2014.4	2010.10	2014.4	2010.10	2014.4
티파티운동 지지자	32	22	61	41	9	7
티파티운동 반대자	30	30	5	11	55	49
의견없음	38	48	34	48	36	43

출처: Gallup 여론조사(2014/4/24-30)

가 증가하게 되면 본선거에서 우세한 정당의 후보는 중도적 유권자로부터의 지지 확보 없이도 선거에서 승리할 수 있게 되고 본선거에서 우세 정당의 승리가 보장되어 있는 상황에서 관건은 본선거보다는 예비선거에서 후보로 선출되는 일이다. 그런데 통상 예비선거, 특히 폐쇄형 예비선거의 경우는 본선거에 참여하는 유권자들과 비교하여 이념적으로 보다 강성인 유권자들이 참여하게 되고, 이는 결국 중위 유권자(Median Voter)와는 크게 다른, 즉 상대적으로 보다 극단적인 이념적 성향을 갖고 있는 후보가 최종적으로 본선거에서 당선되는 결과로 이어질 가능성이 많다.

다른 한편 티파티운동이 공화당에 미치는 영향에 제약을 가할 수 있는 요인들도 함께 고려해 볼 필요가 있는데, 이러한 요인들로 티파티운동이 공화당에 행사하는 과도한 영향력에 대한 기업의 우려 및 일반 유권자들의 티파티운동에 대한 부정적 태도의 증가 등을 들 수 있다. 티파티운동의 압력으로 과도한 재정지출 삭감과 연방부채 상한 증액에 대한 공화당의 경직된 입장이 미국 경제에 미칠 악영향에 대해 미국 재계는 적지 않은 우려를 갖고 있다. 실제로 기업인 단체인 미국 상공회의소나 전미 제조업자 협회(National Association of Manufacturers) 등이 티파티운동의 영향을 과도하게 받고 있는 공화당에 대해 보다 유연한 입장을 촉구하는 일이 반복되고 있다. 티파티운동이 공화당에 미치는 영향을 제약할 수 있는 또 다른 요인은 〈표 4-4〉에서 보듯이 티파티운동에 대한 유권자들의 부정적 태도가 점차 증가하고 있다는 점이다.

티파티운동에 대한 이러한 유권자들의 부정적 태도 증가가 2014년 중간선거 과정에서 공화당의 지도부가 티파티운동 지지후보에 맞서 상대적으로 온건하고 실용적인 후보를 보다 적극적으로 지원하게 되었던 배경 요인 중의 하나이기도 했다. 결론적으로 공화당이 앞으로 치러질 주요 선거들에 승리하기 위하여 지지기반의 외연을 확장하려 한다면, 공화당이 티파티운동에 끌려 다닐 수만은 없으리라고 본다. 또한 티파티운동의 등장으로 결집된 강한 보수성향의 공화당 지지자들이 계속하여 공화당에 크게 영향을 미치겠지만 티파티운동의 과도한 영향력 행사에 대한 기업의 우려나 유권자들의 점증하는 부정적 태도 등은 공화당에 대한 티파티운동의 영향력에 일정한 한계가 있을 수밖에 없게 만드는 요인이 될 수도 있다.

5

2016년
대통령후보 경선과
아웃사이더 경선후보들의
지지기반

2016년 미국 대통령선거는 많은 점에서 이전의 선거와는 다른 특징들을 보여주고 있지만 특히 주목을 요하는 것은 그동안 정치적 기반을 갖고 있지 못했던 아웃사이더 경선후보들이 주요 정당의 후보선출을 위한 경선과정에서 크게 약진했다는 점이다. 대표적인 아웃사이더 후보로 공화당의 트럼프(Donald Trump)와 민주당의 샌더스(Bernie Sanders)를 꼽을 수 있는데 결국 트럼프는 대통령 후보로 지명되는 데 성공했고 샌더스는 후보지명에는 실패했지만 경선 마지막까지 선전했을 뿐 아니라 자신의 주요 정책 입장들을 전당대회를 통하여 민주당의 공식적인 정강정책에 대폭 반영시키는 데 성공하였다.

2016년 미국 대통령선거에서 이와 같은 아웃사이더들의 약진은 이들이 그동안 정당정치에서 소외되어왔던 유권자들을 집중적으로 대변하고 있어 기존의 미국정치에 새로운 변화를 가져올 수 있는 출발점이 될 수도 있다는 점에서 중요한 의미를 가질 수 있다. 이와 관련하여 이 장에서는 트럼프와 샌더스를 지지했던 유권자들은 과연 어떤 특징을 갖고 있는 집단이며 어떠한 유사성과 차별성을 갖고 있는지, 그리고 이들의 지지기반, 특히 지지기반의 차별성이 갖고 있는 정치적 함의에 관하여 주로 다루고 있으며, 이를 통하여 최근 전개되고 있는 미국정치 현상에 대한 이해의 폭을 넓히고자 한다. 이 장에서는 먼저 2016년 미국 대통령후보 경선과정을 통하여 드러난 트럼프와 샌더스 지지자들의 사회경제적 배경과 정책적 입장이 어떠한 유사성과 차별성을 갖고 있는지 분석하고자 한다. 특히 이 장에서는 트럼프와 샌더스의 지지집단이 적지 않은 유사성을 갖고 있음에도 커다란 차별성을 갖고 있다는 점에 주목하고 있다. 주로는 두 지지집단의 사회경제적 배경과 정책적 입장에서의 차별성이 어떻게 샌더스와의 민주당 경선에서 승리했던 클린턴(Hillary Clinton)에 대한 거부감이 강한, 즉 반클린턴(anti-Clinton) 정서가 강한 샌더스 지지자들이 샌더스의 경선 패배에도 불구하고 트럼프 후보로 지지를 선회하는 것을 어렵게 하였는지에 관하여 논의하고자 한다.

나아가 트럼프와 샌더스 지지집단이 보여 주는 이러한 차별성이 최근 미국정치에서 진행되어 온 정당분극화와는 어떠한 연관성을 갖고 있는지, 그리고 프라이머리와 코커스와 같은 상이한 경선 방식의 유불리에는 어떻게 작용하고 있는지 등을 분석하고자 한다. 다음으로 트럼프와 샌더스의 지지기반의 차별성이 본선거에서 공화당과 민주당의 득표에 어떻게 영향을 미치고 있는지, 즉 2016년 대통령선거 결과를 중심으로 한 단기적인 함의에 대해 논의하고자 한다. 마지막으로 경선 과정을 통하여 트럼프와 샌더스를 지지했던 유권자 집단들이 장기적으로 공화

당과 민주당 지지기반의 새로운 토대가 될 수 있을 것인가 또한 그렇게
될 경우 공화당과 민주당 간의 힘의 균형은 앞으로 어떻게 달라질 수 있
을 것인가 등 트럼프와 샌더스의 지지기반의 차별성이 갖고 있는 보다
장기적인 정치적 함의에 관한 논의를 하고자 한다.

Ⅰ. 트럼프와 샌더스 지지기반의 유사성

트럼프와 샌더스는 그들이 내세우고 있는 명분, 지지기반, 지지자 동원
방식, 정책적 입장 등에 있어 적지 않은 유사성을 갖고 있다. 우선 트럼
프, 샌더스 모두 정치적 아웃사이더로서 반기득권(anti-Establishment),
반체제(anti-System) 성향을 강하게 갖고 있다. 특히 그들이 모두 미
국의 공정하지 못한 정치·경제 시스템, 특히 워싱턴의 기득권 정치
(Rigged Beltway Deal)에 대한 유권자들의 강한 거부감을 대변하고 있
고 이를 개혁하겠다는 명분을 내세우고 있다는 점에서 매우 유사한 특
징을 보여주고 있다.

1980년대 이후 미국 사회의 소득 불균형 상태를 보여 주는 지니 계수
는 지속적으로 상승하고 있으며 2008년 금융위기 이후 그 상승세가 더
욱 가파르게 이루어지면서 1929년 대공황 직전 수준에 육박하고 있다.
이로 인해 중하위 소득수준의 미국인들의 삶의 질은 더욱 악화되어 왔
다. 실제로 지난 30년 동안 상위 10% 소득집단의 실질소득은 33.5%
증가하고 있지만 반면 중위 실질소득은 7.9% 증가하는 데 그치고 있고

하위 10% 집단의 경우는 오히려 1.1% 감소하고 있다.[1] 또한 1980년대 이후 정당간 이념적 대립이 심화되면서 정치적 교착 상태가 반복되고 정책 결정이 지체되면서 미국 유권자들의 정치적 불신은 증폭되어 왔다.

트럼프와 샌더스가 미국의 기존 질서나 체제에 대한 강한 거부감을 갖고 있는 유권자들을 대변하고 있다는 사실은 두 후보가 〈표 5-1〉에서 보여 주고 있는 것처럼 연방정부나 현재의 정치 또는 주류 정치집단에 대해 분노하거나 좌절하고 있는 유권자들로부터 같은 당의 다른 경쟁 후보보다 더욱 높은 지지를 받고 있는 것으로도 확인할 수 있다.

또한 트럼프와 샌더스 지지자들은 〈그림 5-1〉에 나타나고 있는 것처럼 주류 정치집단이나 연방정부 뿐 아니라 미국의 경제체제 역시 힘 있는 소수에게 유리하게 되어 있는 공정하지 못한 체제라고 같은 당의 다른 경쟁 후보 지지자들보다 더욱 강하게 믿고 있다.

2008년 금융위기 이후 어려웠던 미국 경제가 최근 들어 점차 회복되고 있지만 아직 경제 회복 속도가 더딜 뿐 아니라 더욱 심각한 문제는 금융위기 이후 소득양극화가 가속화되면서 중산층 이하 많은 미국 유권자들이 경제적 어려움을 겪고 있다는 사실이다. 이러한 경제적 어려움은 제조업이 위축되면서 정규직 일자리가 줄어들고 일반 노동자들의 실질적 임금이 정체되면서 더욱 악화되고 있다. 그 결과 많은 미국 유권자들이 자신의 경제 상황에 대해 불만을 갖고 있는데, 〈그림 5-2〉는 트럼

---

1   U.S. Bureau of Labor Statistics 2015.

표5-1 공화당과 민주당의 경선후보별 지지자들의 정치만족도(%)

구분	연방정부에 대한 태도(%)			현재의 정치에 대한 태도(%)		
	만족	좌절	분노	만족	좌절	분노
전체유권자	17	59	22	9	67	23
공화당 지지자						
트럼프	1	48	50	3	56	40
크루즈	8	62	30	7	69	24
케이식	10	72	18	4	77	18
민주당 지지자						
클린턴	34	57	6	18	63	18
샌더스	21	65	13	9	74	14

출처: Pew Research Center(2016/3/31)

프와 샌더스 지지자들의 불만 수준이 같은 당의 다른 경쟁 후보 지지자들보다 높다는 것을 보여주고 있다.

이처럼 트럼프와 샌더스는 그들의 지지기반이 기존의 전통적인 민주·공화당 지지자들이나 지지단체를 기반으로 하기보다는 그동안 정치적으로 제대로 대표되지 못하고 소외되어 왔던 집단을 대변하고 있다는 점에서 유사성이 있다. 예를 들어 트럼프의 경우 상대적으로 교육수준이 낮은 백인 노동자, 저소득층, 실업자 집단에, 샌더스의 경우 비싼 대학 등록금과 취업난으로 고통받고 있는 젊은 세대 유권자들에 강한 호소력을 갖고 있다.

특히 트럼프의 강력한 지지기반인 백인 저소득층 및 노동자 집단은 1930년대 형성되었던 민주당의 전통적인 지지기반인 뉴딜연합(New Deal Coalition)의 한 축을 구성했던 유권자집단이었다. 하지만

그림 5-1 공화당과 민주당의 경선후보별 지지자들의 경제체제 평가(%)

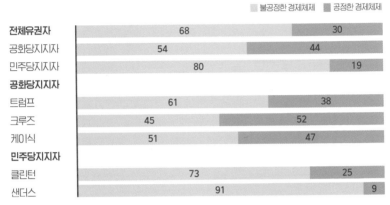

출처: Pew Research Center(2016/3/31)

그림 5-2 공화당과 민주당의 경선후보별 지지자들의 개인 경제만족도(%)

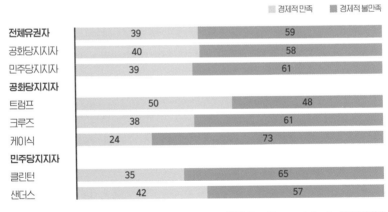

출처: Pew Research Center(2016/3/31)

2016년 대통령선거에서 민주당의 클린턴보다 공화당의 트럼프에게 압도적인 지지를 보냈던 백인 노동자 집단은 임금 정체와 더딘 경제 회복으로 개인적 경제 상황이 악화되면서 미국 내 어느 집단보다도 경제적 불안(Economic Anxiety)을 안고 있는 집단이다. 또한 백인의 다수인 종 위상이 위협받고 있다는 인종적 불안(Racial Anxiety), 그리고 극단적 이슬람주의자들의 테러(Terrorism) 위협에 대한 공포를 갖고 있는 집단이기도 하다.[2] 이러한 트럼프의 지지기반은 낮은 세금과 국가부채 축소 등을 강조하는 재정적 보수주의자(Fiscal Conservatives)[3]와 낙태, 동성애자 문제와 같은 사회적, 문화적 문제에서 보수적 입장을 취하고 있는 사회적 보수주의자(Social Conservatives)[4]의 두 축을 중심으로 형성되었던 공화당의 전통적인 지지기반과는 상당한 거리가 있다.

다른 한편 샌더스 지지자들이 주로 관심을 갖고 있는 문제들은 심화되고 있는 사회경제적 양극화, 청년실업, 최저 임금, 비싼 대학 등록금 등과 같은 경제적 문제들이다. 즉 샌더스 지지자들 역시 그동안 소수자 인권, 낙태, 동성애자 결혼과 같은 사회적, 문화적 문제들에 대한 진보적 입장을 경제적으로 진보적인 입장보다 상대적으로 더욱 강조해 왔던 민주당이 심각한 경제적 문제들을 충분히 다루어 오지 못했던 것에 대

2 실제로 트럼프 지지자들이 가장 중시했던 세 가지 이슈는 테러 위협, 이민, 경제성장 문제이었다(Camobreco and Barnello 2016).
3 재정적 보수주의는 폴 라이언(Paul Ryan) 하원의장 등 공화당 주류세력에 의해 대표되고 있다.
4 사회적 보수주의는 공화당 대통령선거후보 경선 과정에서 테드 크루즈(Ted Cruz) 상원의원에 의해 대표된 바 있다.

하여 실망하거나 소외감을 갖고 있던 유권자들이 주를 이루고 있다.

이처럼 트럼프와 샌더스의 지지기반이 기존의 공화당과 민주당의 지지기반과 크게 다른 특징은 이들의 지지기반 동원 방식에서도 또 다른 유사성을 갖게 하고 있다. 즉 트럼프와 샌더스는 주로 그동안 민주·공화 양대 정당에 의해 정치적으로 충분히 대표되지 못하여 소외되어 왔던 유권자들을 대변하고 있고 지지기반 동원 방식에 있어서도 오랫동안 정당과 연계되어 있던 다양한 사회단체들을 활용하기보다는 소외된 유권자들에 기반한 대중영합주의(Populism)적 성격 또는 일종의 풀뿌리 운동의 모습을 강하게 띠고 있다는 점에서도 유사성을 갖고 있다. 실제로 공화당 경선 후보들 중에서는 트럼프 지지자들만이, 그리고 민주당 경선 후보들 중에서는 샌더스 지지자들만이 대중영합주의의 주요 요소인 반엘리트주의(anti-Elitism)를 강하게 보여 주고 있다.[5]

정책적 입장과 관련해서도 트럼프와 샌더스는 유사성을 보여 주고 있는데, 우선 대외무역정책에 있어서 트럼프와 샌더스 모두 북미 자유무역협정(NAFTA)이나 환태평양 자유무역협정(TPP)을 통하여 많은 국내 제조업들이 해외로 이전하고 저렴한 외국 상품이 대량 유입되면서 일자리가 줄어들고 임금인상이 어려워져 노동자들의 생활여건이 갈수록 악화되고 있다고 보고 있다. 즉 두 후보 모두 자유무역협정에 대한 부정적인 입장을 갖고 있다는 점에서 보호무역주의(Protectionism) 성향을 띠고 있다고 볼 수 있다. 특히 트럼프의 경우는 대외무역정책에 있

5   Rahn and Oliver 2016.

어서 미국의 경제적 이익을 무엇보다 우선시 해야 한다는 것을 반복해서 주장하고 있다는 점에서 일방주의적인 성격도 강하게 갖고 있다고 볼 수 있다.

대외 군사정책에 있어서도 트럼프와 샌더스 모두 이라크나 아프가니스탄과 같은 중동 지역에서의 군사 개입은 결과적으로 막대한 전비가 지출되었음에도 이슬람 극단주의 세력의 팽창을 억제하는 데 실패하였다고 보고 있다는 점에서 유사성을 갖고 있다. 또한 두 후보 모두 동맹국에 파견되어 있는 미군을 유지하는 데 소요되는 주둔 비용을 미국이 과도하게 부담하고 있다고 보고 있다. 그리고 이러한 해외 군사개입에 따른 과도한 재정 지출로 인해 연방정부의 재정적자가 더욱 악화되고 결국 이미 천문학적인 수준에 달하고 있는 국가부채를 팽창시키는 주요 요인이 되고 있다고 본다. 이처럼 해외 군사개입에 대한 두 후보의 부정적인 입장이, 국방비 증액에 대한 입장 차이에도 불구하고, 어느 정도 고립주의 (Isolationism) 경향성을 보여주고 있다는 점에 있어서도 유사성이 있다.

II. 트럼프와 샌더스 지지기반의 차별성

1. 사회경제적 배경의 차이

위에서 언급한 적지 않은 유사성에도 불구하고 트럼프와 샌더스는 지지기반의 사회경제적 배경과 구체적인 정책적 입장에 있어 보다 근본적인 차별성을 갖고 있다. 우선 트럼프와 샌더스 지지자들의 사회경제적 배경에 있어 가장 뚜렷한 차이는 〈표 5-2〉에서 보듯이 트럼프가 45세 이상의 나이든 연령집단에 그 지지가 집중되어 있는 반면, 샌더스는 45세 미만의 젊은 연령집단에서 뚜렷한 우세를 보이고 있다는 점이다. 또한 교육수준에 있어서 트럼프 지지자들은 대졸 미만의 저학력자에 집중되어 있지만 샌더스 지지자는 대졸 이상의 고학력자가 과반수 이상이며, 거주지역에 있어서도 트럼프가 농촌 지역에서 샌더스는 도시지역에서 각각 강세를 보이고 있다.

인종에 있어서 샌더스는 같은 민주당의 클린턴에 비해서는 백인집단에서 우세를 보이고 있기는 하나 비백인 집단에서도 일정한 지지를 확보하고 있다. 이에 반해 트럼프의 경우는 거의 전적으로 백인 유권자들의 지지에 의존하고 있다. 성별 지지도에 있어서도 샌더스의 경우는 남성과 여성 간의 균형된 지지 분포를 보여주고 있지만 트럼프는 남성으로부터 10% 이상 더 많은 지지를 끌어내고 있다.

소득과 관련해서는 트럼프가 이전의 공화당 후보들에 비해 중하위 소득층에서 우세하지만 중하위 소득층에서 샌더스의 지지는 더욱 높은 수준임을 보여주고 있다. 마지막으로 복음주의 개신교도가 공화당의 강력한 지지기반임을 감안한다면 복음주의 개신교도들의 트럼프에 대한 지지는 상대적으로 저조하다고 볼 수 있지만 여전히 복음주의 기독교도들의 트럼프에 대한 지지가 비복음주의 기독교도보다 우위를 점하고 있다. 반면 샌더스 지지자들의 경우 비종교적인 유권자들의 지지가 압도적이다는 점에서 트럼프 지지자들과는 대조적이다. 민주당 지지자

표 5-2 2016년 트럼프와 샌더스의 경선투표자의 사회경제적 배경(%)

구분		트럼프	샌더스
성별	남성	55.5	50.0
	여성	44.4	49.9
연령	17-29세	8.1	28.1
	30-44세	15.6	26.8
	45-64세	48.1	31.4
	65세 이상	26.7	13.4
인종	백인	97.3	76.6
	비백인	2.7	23.3
교육	고졸 이하	19.9	13.2
	대졸 미만	35.8	32.1
	대졸 이상	30.5	31.6
	대학원 이상	13.6	22.0
소득	5만불 이하	32.9	46.1
	5-10만불	34.8	29.9
	10만불 이상	32.3	23.8
정당일체감	민주당	0.9	63.2
	무당파	27.3	36.7
	공화당	71.6	0.0
이념	보수	77.7	2.1
	중도	22.2	27.6
	진보	0.0	70.0
거주지	도시	18.8	32.4
	교외	48.8	42.5
	농촌	32.2	23.1
복음주의 기독교	복음주의	52.2	
	비복음주의	47.7	
종교성	종교적		24.8
	비종교적		75.2

출처: CNN 2016년 대선 후보 경선 자료(http://edition.cnn.com/election/primaries/polls)에 기초하여 정리 작성됨. 샌더스 지지자의 종교성(Religionsity)에 관한 자료는 Pew Research Center(2016/3/31).

들이 공화당 지지자들에 비해 비종교적이지만 샌더스 지지자들의 경우는 같은 민주당의 클린턴 지지자들과 비교해서도 훨씬 더 비종교적 또는 세속적이다.

정리하자면 경선 과정에서 확인된 트럼프의 지지는 고연령, 저학력, 기독교도, 특히 복음주의 개신교도, 그리고 백인 남성 집단에 집중되어 있으며 도시 지역보다는 농촌 지역에서 상대적 강세를 보여주고 있다. 반면에 샌더스는 저연령, 고학력, 비종교적, 도시 지역 유권자들로부터 더욱 높은 지지를 받고 있어 트럼프의 지지집단과는 뚜렷하게 차이가 나고 있음을 확인할 수 있다. 그리고 트럼프와 샌더스 모두 저소득층에서 강세를 보이지만 샌더스가 저소득층 유권자들로부터 더욱 강한 지지를 받고 있음을 볼 수 있다.

2. 정책적 입장의 차이

위에서 살펴 본 트럼프와 샌더스 지지기반의 사회경제적 배경의 차이는 두 후보를 지지하는 유권자들의 뚜렷한 정책적 입장의 차이로 이어지게 된다. 물론 현재 개인적으로 처해 있는 경제 상황에 대해 많은 불만을 갖고 있는 트럼프와 샌더스 지지자들이 미국의 일자리를 해외로 유출시키고 국내 임금을 낮추는 요인으로 지목되는 자유무역 협정 이슈와 실업문제에 공통적으로 높은 관심을 갖고 있는 것은 사실이다. 하지만 일자리 문제를 제외한다면 트럼프와 샌더스 지지자들은 중요하다고 생각하는 정책적 이슈의 우선순위에 있어 커다란 차이를 보여주고 있다. 트럼프 지지자들이 가장 중요하다고 생각하는 이슈는 이슬람 극단주의자들에 의한 테러 위협과 이민 문제인 반면 샌더스 지지자들의 경우에는 심화되는 빈부 격차, 비싼 교육비, 격화되는 인종 갈등 문제 등이다. 더욱 중요한 것은 실업문제와 같은 경제적 이슈에 있어 두 집단 모두 높은 관심을 갖고 있지만 문제 해결을 위한 해법에서 큰 입장 차이를 보이고 있다는 점이다. 즉, 대다수의 샌더스 지지자들은 실업문제의 해법으로 부자 증세를 통한 정부의 기간시설 투자 지출을 늘려 일자리를 창출하는 방법을 지지하고 있지만 이처럼 증세를 통하여 일자리를 늘리는 방식을 선호하는 트럼프 지지자들은 23%에 불과하다.[6] 결국 트럼프와 샌더스 지지자들이 공통적으로 관심을 보이고 있는 실업문제와 같은 경제적 이슈에서도 문제 해결 방법의 차이로 인해 큰 의미를 갖기 어렵다고 본다면 양 집단이 공유할 수 있는 이슈 영역은 매우 좁다고 할 수 있다.

트럼프와 샌더스 지지자들 간에는 이처럼 중요하다고 생각하는 이슈에서 차이가 있을 뿐 아니라 주요 이슈들에 대한 입장에 있어서도 커다란 차이를 보이고 있다. 대표적으로 이민정책(멕시코 국경 장벽 건설, 불법이민자 시민권 허용 문제), 경제정책(최저임금 인상, 고소득자 세금 인상, 정부의 의료보장 및 사회보장 지원 증액 문제), 사회정책(낙태, 동성애자 결혼 문제), 총기규제(공격용 총기 판매 문제), 환경정책(기후변화 관련 환경규제, 키스톤 송유관 건설 문제) 등 주요 정책에 있어서 트럼프 지지자와 샌더스 지지자 사이에 뚜렷한 차이가 있다.

---

6   Deckman 2016.

〈그림 5-3〉은 위의 주요 정책들에 있어 샌더스 지지자들은 트럼프 지지자와 비교하여 압도적으로 진보적인 입장을 취하고 있음을 잘 보여주고 있다. 실제로 샌더스 지지자들의 주요 정책에 대한 이러한 진보적인 정책적 입장은 사실상 같은 민주당의 클린턴 지지자들의 정책적 입장과 크게 다르지 않다. 〈그림 5-3〉에서 보여 주고 있는 것처럼 샌더스 지지자들과 클린턴 지지자들의 가장 큰 입장 차이를 보이고 있는 정책이슈는 총기 규제 문제이지만 이 문제에 있어서도 샌더스 지지자들과 트럼프 지지자들 간의 커다란 입장 차이를 고려한다면 샌더스 지지자들과 클린턴 지지자들 사이의 입장 차이는 상대적으로 매우 적다는 것을 알 수 있다.

샌더스 지지자들의 반클린턴 정서가 강하고 이들 중 상당수가 자유무역에 비판적 입장을 갖고 있어 샌더스의 민주당 경선 패배 이후 본선거 과정에서 샌더스 지지자들의 트럼프 후보 지지 선회 가능성이 제기되어 왔지만 실제로 이러한 가능성이 현실화되기는 쉽지 않았다. 이는 주요 정책들과 관련하여 트럼프 지지자들과 샌더스 지지자들의 뚜렷한 입장 차이가 샌더스의 민주당 경선 패배에도 불구하고 샌더스 지지자들이 본선거에서 트럼프 후보 지지로 선회하는 것을 어렵게 했기 때문이다.

이를 조금 더 구체적으로 보자면 우선 자유무역 지지 비율에 있어 트럼프 지지자 27%, 샌더스 지지자 55%, 클린턴 지지자 58%로 샌더스 지지자와 트럼프 지지자의 입장 차이는 크게 벌어져 있는 반면, 클린턴 지지자와의 입장 차이는 상대적으로 매우 적다.[7] 이보다 더욱 중요한 것

---

7   Tesler 2016.

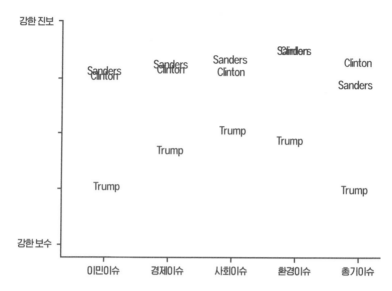

그림 5-3　트럼프, 샌더스, 클린턴 경선 지지자의 주요 이슈 입장

강한 진보

Sanders Clinton	Sanders Clinton	Sanders Clinton	Sanders	Clinton Sanders
	Trump	Trump	Trump	
Trump				Trump

강한 보수

이민이슈　경제이슈　사회이슈　환경이슈　총기이슈

출처: https://washingtonpost.com/news/monkey-cage/wp/2016/05/16

은 자유무역에 대한 지지 여부 또는 강도에 관계없이 샌더스 지지자들의 트럼프 대비 클린턴 선호가 80% 전후로 압도적으로 높다는 사실이다.[8] 이처럼 자유무역에 대한 지지 여부 또는 강도에 관계없이 샌더스 지지자들의 트럼프 대비 클린턴 선호가 압도적으로 높다는 것은 결국 샌더스 지지자들이 본선에서 트럼프 후보 지지로 선회할 가능성이 현실화하기가 어렵다는 것을 잘 보여 주고 있다고 할 수 있다.

테슬러(Tesler 2016)의 분석에 따르면 오히려 샌더스 지지자 중 무역

8　Tesler 2016.

정책 보다는 이민정책에 있어 보수적인 입장을 가진 자들이 트럼프를 지지할 가능성이 있음을 보여주고 있다. 이는 자유무역에 대한 지지 여부 또는 강도에 관계없이 샌더스 지지자들의 트럼프 대비 클린턴 선호도가 압도적으로 우세한 것과는 달리 이민 정책의 경우에는 샌더스 지지자들의 입장 차이에 따라 트럼프 대비 클린턴 선호도가 크게 차이가 나고 있기 때문이다. 하지만 이민정책에 있어 보수적인 입장을 가지고 있는 샌더스 지지자들은 멕시코 국경 장벽 건설의 경우 전체 샌더스 지지자들의 7.1%가 찬성하고, 불법 체류자 시민권 부여의 경우 5.9%가 반대하는 등 매우 적은 비율을 점하고 있어 큰 의미를 부여하기는 어렵다.

트럼프와 샌더스 지지자들이 이민 문제에 있어서 극명하게 다른 입장을 취하고 있는 것은 이민 문제와 관련한 다른 조사(PRRI/Brookings, 2016 Immigration Survey)에서도 잘 나타나고 있다. PRRI/Brookings 조사에 따르면 트럼프 지지자 83%가 불법 이민자로 인해 임금 수준이 낮아져 경제사정을 악화시키고 있다고 보는 반면, 같은 견해를 갖고 있는 샌더스 지지자들은 35%에 불과한 것으로 나타나고 있다. 또한 같은 조사에 의하면 트럼프 지지자 80%가 이민자들이 미국인들의 일자리, 주거, 의료 혜택들을 빼앗아가기 때문에 국가적인 부담이 되고 있다고 믿는 반면, 그런 생각을 갖고 있는 샌더스 지지자들은 24% 밖에 되지 않았다.

결국 트럼프 지지자들의 경우 대체로 이민자들이 미국인들의 삶의 질을 떨어뜨리고 국가적 부담이 된다는 부정적 생각을 갖고 있는 것과는 대조적으로 대부분의 샌더스 지지자들은 미국 사회의 다양성을 수용하고 이민자들의 근면함과 재능이 오히려 미국에 혜택을 가져올 수 있다고 보기 때문에 양 집단간에는 이민자들을 바라보는 시각에 있어 근본적인 차별성이 존재하고 있는 것이다. 이처럼 이민 문제에 있어 트럼프와 샌더스 지지자들 사이에 커다란 간극으로 인해 샌더스 지지자들이 클린턴 후보에 불만을 갖고 있다고 해서 본선에서 트럼프 후보 지지로 선회하는 것은 어려울 수밖에 없었다.

III. 트럼프와 샌더스 지지기반과 정당분극화

샌더스 지지자들이 클린턴 후보에 대한 부정적 태도를 갖고 있음에도 이처럼 트럼프 지지자들과 차별성을 갖고 있는 것은, 특히 정책적 입장에서 뚜렷한 차이를 보여주는 것은 최근 30년 이상 지속되어 온 정당분극화의 심화와도 밀접한 관련이 있다. 실제로 정당분극화에 관한 많은 연구들은 공화당 지지자들과 민주당 지지자들 간에 경제적, 문화적, 인종적 이슈들에 있어 입장 차이가 시간이 지나면서 더욱 더 뚜렷해지고 있음을 잘 보여주고 있다.[9]

샌더스 지지자들의 반클린턴 정서가 강함에도 불구하고 〈그림 5-3〉에서 보여주고 있는 것처럼 주요 정책에 대한 진보적 입장이 같은 민주당의 클린턴 지지자들의 정책적 입장과 유사하고 트럼프 지지자와 비교해서는

---

9   Abramowitz 2013; Abramowitz and Saunders 2008; Fiorina et al. 2005; Hetherington 2009.

크게 다른 것은 그간 진행되어 온 이러한 정당분극화를 잘 반영해 주고 있는 것으로도 볼 수 있다. 2016년 미국 선거 예비연구(ANES Pilot Study) 자료를 사용한 앱라모위쯔(Abramowitz 2016)의 분석에 따르면 민주당과 일체감을 갖고 있거나 민주당 편향 무당파 유권자의 79%가 주요 정책입장에서 진보적 입장을 취하고 있는 반면 공화당과 일체감을 갖고 있거나 공화당 편향 무당파 유권자의 78%가 주요 정책입장에서 보수적 입장을 갖고 있는 것으로 확인되고 있다. 이처럼 민주-공화 양당 지지자 간의 입장 차이가 크게 벌어져 있는 상황에서 같은 당내 후보 지지자 간에 일정 정도 정책 입장 차이가 있다 해도 그 차이가 큰 의미를 갖기는 어렵다고 본다.

최근의 정당분극화 논의에서는 이슈 양극화 이외에 상대 정당에 대한 부정적인 태도와 감정이 점차 강해지는 정서적 분극화(Affective Polarization)도 중요해지고 있는데,[10] 이와 관련해서도 샌더스 지지자들은 트럼프 후보에 대하여 뚜렷하게 부정적인 태도를 보여 주고 있다. 물론 같은 당의 클린턴 후보에 대해 부정적인 태도를 갖고 있는 샌더스 지지자들이 적지 않은 것은 사실이다. 하지만 앱라모위쯔(Abramowitz 2016)의 분석은 샌더스 지지자들 중 클린턴 후보에 대해 긍정적인 태도를 갖고 있는 비율이 55.5%인데 비하여 트럼프 후보에 대하여 긍정적인 태도를 갖고 있는 비율은 13.6%에 불과함을 보여 주고 있어 샌더스 지지자들의 트럼프 후보에 대한 부정적인 태도가 압도적임을 확인할 수 있다.

---

10   Iyengar et al 2012; Mason 2015.

결국 지난 1990년대 이후 미국 정치에서 지속되고 있는 이념적·정책적 양극화와 정서적 양극화는 클린턴 후보에 대하여 부정적인 태도를 갖고 있는 샌더스 지지자들이 정당의 경계선을 넘어 공화당 후보 지지로의 선회가 실현될 가능성을 더욱 낮추고 있다고 본다. 마찬가지로 트럼프 후보에 대하여 부정적인 태도를 갖고 있는 공화당 지지자들이 정당의 경계선을 넘어 민주당 후보 지지로 선회하는 것 역시 실현되기는 어렵다고 예상할 수 있다.

실제로 본선거 결과는 이러한 예상과 일치하고 있다. 대통령선거 직후 행해진 출구 조사 결과는 민주당과 공화당 지지자들이 압도적으로 클린턴 후보와 트럼프 후보에 투표하고 있음을 보여주고 있다. 특히 트럼프 후보의 경우는 그가 선거 과정에서 보여준 인종차별적, 여성비하적 발언이나 태도에 많은 공화당 지지자들이 부정적인 견해를 갖고 있었고 트럼프 후보와 거리를 둔 공화당 지도자들이 많았음에도 〈그림 5-4〉에서 보여주고 있는 유권자들의 정당일체감에 따른 투표에 관한 출구 조사에 따르면 공화당 지지자 90%가 트럼프 후보에 투표하고 있다.[11] 마찬가지로 민주당 경선과정에서 50개 주 중에서 22개 주에서 승리함으로써 선전하였던 샌더스 지지자들의 반클린턴 정서가 매우 강하였음에도 불구하고 같은 출구조사 결과는 민주당 지지자들의 89%가 클린턴 후보에 투표하고 있음을 보여 주고 있다. 이러한 결과는 최근 진

---

11   New York Times 2016/11/9. 트럼프가 이처럼 2016년 대통령선거의 본선거에서는 이전 대통령선거에서의 공화당 대선 후보와 같은 수준의 높은 지지를 확보했지만 경선에서 공화당 지지자 들의 트럼프 지지는 45%에 불과하였다(Enten 2016b).

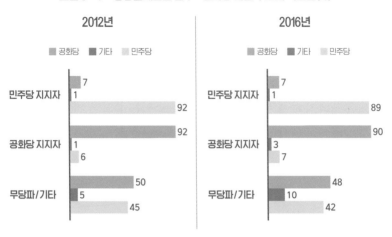

그림 5-4 정당일체감별 민주-공화당 대선 후보의 득표율(%)

2012년 | 2016년

■ 공화당 ■ 기타 ■ 민주당 | ■ 공화당 ■ 기타 ■ 민주당

민주당 지지자
7
1
92

공화당 지지자
92
1
6

무당파/기타
50
5
45

민주당 지지자
7
1
89

공화당 지지자
90
3
7

무당파/기타
48
10
42

출처: New York Times(2016/11/9)

행되어 온 정당분극화가 선거에 강력하게 영향을 미치고 있음을 잘 보여 주고 있다.

사이즈(Sides 2016) 역시 트럼프 후보가 대통령직을 수행할 수 있는 자질을 갖추고 있지 않다고 판단하고 있는 공화당 지지자가 25%에 달했지만 상대 후보에 대한 강한 부정적인 태도를 갖고 있어 트럼프 후보에 투표하게 되었다고 지적하고 있는데 이는 정당분극화, 특히 정서적 분극화가 심화된 결과라고 볼 수 있다. 또한 선거 과정에서 공화당 정치인이나 지지자들 사이에 트럼프 후보에 대한 부정적 견해가 팽배해 있었기 때문에 다른 선거에서는 공화당 후보에 투표하지만 대통령선거에서는 트럼프 후보에 투표하지 않는 분할투표(Split-ticket Voting)가 늘어날 거라는 예상이 많았다. 하지만 실제 선거 결과는 연방 상원의원 선거의 경우 최초로 2016년 선거에서 민주당과 공화당의 상원의원 후보가 당선된 모든 주에서 클린턴 후보와 트럼프 후보가 각각 승리함으로써 같은 정당 소속 공직자 후보에 투표하는 일관투표(Straight-ticket Voting)가 역대 최고 수준에 달하고 있다(Enten 2016b). 이러한 결과 역시 심화된 정당분극화가 얼마나 강하게 선거에 영향을 미치고 있는지를 잘 보여 주는 또 다른 사례라 할 수 있다.

IV. 트럼프와 샌더스 지지기반과 경선방식의 유불리

트럼프와 샌더스 지지자들의 주요 정책 입장 차이에 관한 〈그림 5-3〉에서 발견되는 또 하나의 흥미로운 사실은 두 후보 지지자들의 정책 분야별 이념성향에 있어 상이한 패턴을 보이고 있다는 점이다. 샌더스 지지자들의 정책적 입장은 모든 정책 분야에 있어 고르게 진보적 성향을 보여주고 있다. 반면에 트럼프 지지자들의 정책적 입장은 이민 이슈와 총기 이슈에서는 분명하게 보수적 성향을 보여주고 있지만 전통적으로 공화당 지지자들이 중요하게 생각해 온 경제적 이슈, 사회적 이슈, 환경 이슈 등에서는 중도보수 내지는 중도적 성향을 보여주고 있다는 점이다. 즉 샌더스 지지자들이 일관되게 진보적 성향을 보여주고 있는 반면 트럼프 지지자들의 보수적 이념성향은 일관성을 보여주고 있지 못하다.

이처럼 트럼프와 샌더스 지지자들이 갖고 있는 이념성향의 일관성 내지 강도에서 보여주고 있는 차이는 두 후보에게 유리한 경선 방식에서도 차이를 가져 올 수 있다. 미국의 대통령후보 경선방식은 크게 프라이머리(Primary)와 코커스(Caucus)로 나눌 수 있는데, 2016년 대통령후보 경선에서 민주당은 41개 주 또는 준주(Territory)에서 프라이머리를, 15개 주 또는 준주에서 코커스를 실시하였고, 공화당은 39개 주 또는 준주에서 프라이머리를, 17개 주 또는 준주에서 코커스를 실시한 바 있다.

코커스 역시 프라이머리처럼 일반 유권자들이 제약없이 참여할 수 있지만 프라이머리가 비밀투표 방식인데 비해 코커스는 공개토의 및 원칙상 공개표결 방식을 취한다는 점에서 차이가 있다. 또한 프라이머리의 경우 선거일 편한 시간에 가서 투표하거나 조기투표 또는 부재자 투표가 허용되는 반면 코커스의 경우에는 정해진 시간에 함께 모여 몇 시간 회의를 하고 조기투표나 부재자 투표가 허용되지 않는다는 점에서도 차이가 있다.[12] 결국 프라이머리보다 코커스에 참여하기 위해서는 더 큰 기회비용이 들게 되고 그 결과 코커스에는 평균 유권자에 비해 정당성향이나 이념성향이 강한 유권자들이 참여하게 된다. 따라서 지지자들의 이념적 일관성 또는 강도가 샌더스보다 약한 트럼프가 프라이머리보다는 코커스에서에서 약세를 보일 것이라고 예상해 볼 수 있다.

실제로 경선방식에 따른 두 후보의 유불리와 관련하여 샌더스의 경우 프라이머리보다 코커스에서 우세를 보인 반면 트럼프의 경우에는 프라이머리보다 코커스에서 뚜렷하게 약세를 보이고 있다. 즉, 트럼프가

12   임성호 2014.

프라이머리가 실시되었던 39개 주 또는 준주 중 25곳에서 승리하여 프라이머리 승률이 80.0%인 반면 코커스가 실시되었던 17개 주 또는 준주 중 3곳에서 승리하여 코커스 승률은 17.6%에 불과하여 트럼프의 경선 승률에 있어 프라이머리와 코커스 사이에 커다란 격차를 보여 주고 있다. 반면 샌더스는 프라이머리 승률이 31.7%로(41곳 중 13곳) 저조하였지만 코커스 승률은 60.0%로(15곳 중 9곳) 두 배 가까이 우세를 보이고 있어 두 후보에게 유리한 경선 방식에서 뚜렷하게 차이가 나고 있음을 확인할 수 있었다.

앞서 언급했던 것처럼 2016년 대통령 후보 경선에 나선 트럼프와 샌더스가 모두 대표적인 아웃사이더 후보들이었기 때문에 공화당이나 민주당의 기존 유력 후보들에 비해 당파성을 갖고 있지 않는 무당파 유권자들로부터 상대적으로 강한 지지를 끌어낸 바 있다. 따라서 코커스에서 샌더스의 강세와 트럼프의 뚜렷한 약세는 이들을 지지하는 유권자들의 정당지지 성향보다는 이념성향 강도(Ideological Intensity)의 차이에서 찾아야 할 것이다. 즉 유권자들의 당파성 여부에 관계없이 샌더스의 경우에는 강한 진보성향을 갖고 있는 유권자들의 지지를 받았지만, 이와 달리 트럼프의 경우에는 강한 보수성향을 갖고 있는 유권자들의 지지를 끌어낼 수 없었던 것이다. 이는 1988년 뷰캐넌(Pat Buchanan)이나 2008년 허커비(Michael Huckabee)와 같은 강한 보수성향의 공화당 대통령선거 경선후보들이 트럼프와는 달리 코커스에서 강세를 보였던 사실에서도 잘 드러나고 있다.

V. 트럼프와 샌더스 지지기반의 차별성이 갖는 정치적 함의

마지막으로 경선 과정에서 확인된 트럼프와 샌더스의 지지기반, 특히 지지기반의 차별성이 갖고 있는 정치적 함의에 관하여 논의하고자 한다. 트럼프와 샌더스의 등장 배경이나 명분에 있어 적지 않은 유사성이 있음에도 불구하고 이들의 지지기반이 사회경제적 배경과 정책적 입장에 있어 커다란 차이가 있다는 사실은 우선 단기적으로 2016년 대통령 선거의 본선거 결과에도 중요한 함의를 갖고 있다. 이는 헨더슨 등[13]이 당파성 활성화론(Partisan Activation Thesis)에서 주장하였듯이 선거일이 임박하여 당파성이 활성화되면서 트럼프 지지자들과 사회경제적 배경 등에서 차별성을 갖고 있는 샌더스 지지자들이 같은 민주당의 클린턴 후보 지지로 결집하는 현상이 가속화될 수 있기 때문이다. 더욱이 샌더스와 클린턴 지지자들이 정서적 호불호를 떠나 주요 정책 입장에 있어서 유사성을 보이고 있는 점을 고려한다면 그러한 가능성은 한층 더 크다. 이러한 샌더스 지지자들의 당파성 활성화는 경선 과정에서 트럼프에 반대했던 공화당 지지자들에게도 동일하게 적용될 수 있다고 본다.

정당분극화와 본선거 과정에서의 당파성 활성화 등으로 트럼프 후보는 경선과정에서의 지지 여부와 관계없이 공화당과 정당일체감을 갖고 있는 유권자들의 지지를 대부분 이끌어 내면서도 경선과정에서 자신의 강력한 기반이었던 백인 노동자 집단의 지지를 추가시킬 수 있었다.

---

13   Henderson2016; Sides and Vavreck 2013; Tesler and Sears 2010.

결국 트럼프 후보의 대통령선거 승리에 결정적 기여를 한 것은 과거 미국 제조업의 중심지역이었고 민주당이 전통적으로 우세했던 펜실베이니아, 오하이오, 미시건, 위스컨신 주에서 결집된 백인 노동자들의 지지이었다. 특히 이들 4개 주 중 오하이오를 제외한 3개 주는 2016년 대통령선거 마지막까지도 민주당이 우세한 주로 분류되었기에 이들 3개 주의 선거결과가 가져온 충격은 더욱 컸다. 트럼프 후보가 승리했던 이들 3개 민주당 우세주에서 트럼프 후보에 투표한 유권자 수는 2012년 대비 평균 5% 증가한 반면 클린턴 후보에 투표한 유권자 수는 2012년 대비 평균 11% 감소하고 있는데 이는 상당 부분 이전 선거에서 민주당을 지지했던 백인 노동자들이 트럼프 후보 지지로 선회했기 때문이다.[14]

쇠락한 제조업 지역의 주들(Rust Belt States)을 포함하고 있는 중서부 지역에서 트럼프의 승리에 기여한 또 다른 유권자집단은 트럼프가 경선과정에서부터 강세를 보였던 농촌지역이나 소도시에 거주하는 백인 유권자집단이었다. 농촌지역이나 소도시에 거주하는 백인 유권자들 역시 주류 정치인이나 연방정부에 대한 불신과 악화된 개인적 경제 상황으로 인해 강한 소외감과 반엘리트 정서 및 미래에 대한 불안을 갖고 있다는 점에서 이 지역 백인 노동자들과 공감대를 형성하고 있었고 이러한 공감대가 트럼프에 대한 강한 지지로 표출될 수 있었다.[15]

〈그림 5-5〉에서 보여 주고 있는 것처럼 중서부에 펜실베이니아 주

---

14   Bump 2016. 이들 3개 주 중 미시건 주와 위스컨신 주는 민주당 경선에서 클린턴이 샌더스에게 패배했던 주이기도 하다.
15   Cramer 2014.

그림 5-5　2012년 대비 2016년 대통령선거에서의 주별 공화당 지지율 상승(%)

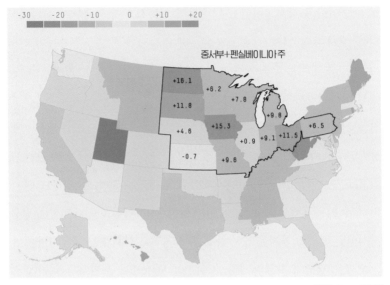

출처: Silver(2016)

를 추가한 지역에서 캔사스 주를 제외한 모든 주의 공화당 지지율이 상
승하고 있는데 이들 지역에서의 공화당 지지율 평균 상승율은 8.3%에
달하고 있다.

　이처럼 백인노동자와 농촌지역이나 소도시에 거주하는 백인유권자
들의 트럼프 지지가 강함에도 불구하고 샌더스와 트럼프 지지기반의 차
별성 및 심화된 정당분극화 등으로 인해 경선과정에서 경쟁자였던 샌더
스 지지자들의 트럼프로의 지지 선회 가능성이 낮은 상황에서 그동안
민주당을 지지해 온 유권자 집단의 지지를 충분히 동원해 낼 수 있었다
면 클린턴의 대통령선거 승리가 불가능한 것만은 아니었다. 즉 민주당

지지가 강한 비백인 및 여성과 2008년과 2012년 대통령선거에서 오바마를 그리고 2016년 대통령선거 경선과정에서 샌더스를 강하게 지지하였던 젊은 밀레니얼 세대(Millennial Generation) 유권자들의 당파성이 충분히 활성화될 수 있었다면 클린턴의 대통령선거 승리는 가능하였을 것이다.

실제로 클린턴은 전통적인 민주당 지지기반이었던 백인 노동자들의 지지를 크게 상실한 상황에서 비백인, 여성, 밀레니얼 세대 및 이번 선거과정에서 트럼프에 대한 부정적 태도를 보여 왔던 고학력 백인 유권자들의 지지 동원에 주력하였다. 특히 클린턴은 주로 교외(Suburb)에 거주하는 대졸 이상의 고학력 중산층 백인 유권자들의 지지를 끌어 내는 데 주력하였지만 〈표 5-3〉이 보여주듯이 고학력 백인여성 유권자 집단에서만 트럼프보다 6% 우위에 있을 뿐 고학력 백인남성 집단에서는 15%의 큰 격차로 트럼프보다 열세에 있다. 더욱 주목할 점은 흔히 민주당이 전통적으로 강세를 보였던 여성 유권자집단에서 클린턴이 큰 폭으로 우위에 있다고 알려져 있었지만 전체 백인 여성 및 고졸 이하의 저학력 백인 여성의 경우에는 〈표 5-3〉에 나타나고 있는 것처럼 트럼프 후보에게 각각 10%와 28%의 격차로 크게 뒤지고 있다는 점이다. 백인 여성 유권자 집단 및 특히 저학력 백인 여성 유권자집단에서 이처럼 저조한 클린턴의 지지는 이들에게 있어 계급적 이슈나 문화적 이슈가 성별보다 더욱 중요하다는 것을 보여 주는 것이기도 하다.[16]

16   Malone 2016.

표 5-3 백인 유권자들의 트럼프와 클린턴 투표율(%)

구분	클린턴	트럼프
백인남성	31	63
백인여성	43	53
대졸 백인여성	51	45
대졸 이하 백인여성	34	62
대졸 백인남성	39	54
대졸 이하 백인남성	23	72

출처: Edison Research Exit Polls(2016/11/9)

또한 비백인, 특히 1960년대 이후 압도적으로 민주당을 지지해 온 흑인 유권자들의 2016년 대통령선거에서 클린턴 지지 강도는 2008년 과 2012년 대통령선거에서의 오바마 지지와 비교하여 상대적으로 약 했고 선거 참여 역시 부진해짐에 따라 결국 대통령선거 패배에 결정적 인 요인으로 작용하고 있다. 2012년과 2016년 대통령선거에서 비백 인 유권자들의 민주당과 공화당 후보 투표율을 보여주고 있는 〈그림 5-6〉에서 민주당을 압도적으로 지지해 온 흑인 유권자들의 클린턴 투 표율이 2012년 대통령선거 대비 5% 감소하고 있음을 확인할 수 있다.

흑인 이외의 비백인 유권자 집단에서도 비슷한 지지도 감소 추세를 볼 수 있는데, 최근 미국 유권자 집단에서 차지하는 비율이 빠르게 증가 하고 있는 히스패닉계 유권자들 역시 민주당 후보 지지율이 6% 감소하 고 있고 아시아계 유권자 집단에서도 8% 지지율 감소를 보이고 있다. 이러한 비백인 지지율 감소가 주로 저학력 집단에서 나타나고 있는 것

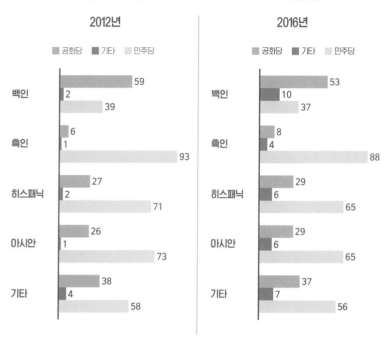

그림 5-6 인종별 민주-공화당 대선 후보의 투표율(%)

출처: New York Times(2016/11/9)

도 주목할 필요가 있다.[17] 특히 펜실베이니아, 미시건, 위스컨신 주의 필
라델피아, 디트로이트, 밀워키 등 대도시의 투표율이 예상보다 낮았던
것이 클린턴의 대통령선거 패배에 결정적으로 작용하고 있는데 이 역시
주로 대도시에 거주하는 비백인, 특히 흑인들의 저조한 선거참여와 관
련이 있다.

[17]   Silver 2016.

밀레니얼 세대에서의 지지 역시 2008년과 2012년 대통령선거에서 오바마 지지와 비교하여 2016년 대통령선거에서 상대적으로 약했고 선거 참여 역시 저조했는데 이 또한 클린턴 패배에 중요하게 작용하고 있다. 2012년과 2016년 대통령선거에서 연령집단별 민주당과 공화당 후보 투표율을 보여주고 있는 〈그림 5-7〉은 젊은 밀레니얼 세대에 속하는 18-29세 연령집단에서 2012년 대통령선거 대비 민주당 후보 투표율이 5% 감소하고 있음을 확인할 수 있다.

2016년 대통령선거를 중심으로 한 단기적 함의보다 더욱 중요한 것은 양대 정당의 경선과정에서 형성되었던 트럼프와 샌더스의 사회경제적, 정책적 지지기반이 장기적으로 향후 공화당과 민주당 지지기반의 새로운 토대가 될 것인가, 또 만약 그렇게 된다면 공화당과 민주당 간의 힘의 균형은 어떻게 변화될 수 있을 것인가 등이다.

트럼프 후보는 처음부터 멕시코 불법이민자 추방과 무슬림인들의 한시적 입국 금지 등 이민 문제를 강력하게 전면에 내세워 비백인 이민자 증가에 대한 강한 불만과 과격 이슬람주의자들의 테러공격에 대한 공포를 갖고 있던 많은 백인 유권자들을 결집시키고 이들의 지지를 끌어냄으로써 공화당 경선에서 승리할 수 있었다. 실제로 플라워스(Flowers 2016)의 2016년 카운티별 대통령선거 지지도 분석에 따르면 트럼프 지지는 백인 비율이 50% 미만인 카운티에서 2012년 대비 4.5% 상승에 그쳤지만 백인 비율이 75% 이상인 카운티에서는 13%, 백인 비율이 90% 이상인 카운티에서는 17%까지 상승하고 있다.

하지만 트럼프 후보의 이러한 경선 전략은 비백인 유권자들의 빠른

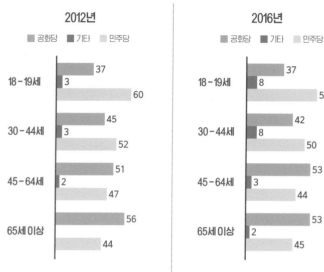

그림 5-7　연령집단별 민주-공화당 대선 후보의 투표율(%)

2012년

■ 공화당　■ 기타　■ 민주당

18-19세	37 / 3 / 60
30-44세	45 / 3 / 52
45-64세	51 / 2 / 47
65세 이상	56 / 44

2016년

■ 공화당　■ 기타　■ 민주당

18-19세	37 / 8 / 55
30-44세	42 / 8 / 50
45-64세	53 / 3 / 44
65세 이상	53 / 2 / 45

출처: New York Times(2016/11/9)

증가로 인해 미국 유권자들의 인종 구성 비율이 크게 변화되면서 과도하게 백인 유권자들의 지지에 의존하고 있는 공화당이 그간 직면해 왔던 어려움을 더욱 가중시킬 수 있다는 점에 문제가 있을 수 있다. 비백인 유권자들의 증가, 특히 히스패닉 유권자가 빠르게 증가하고 있는 주들은 앞으로 치러질 대통령선거에서 공화당의 승리에 커다란 장애물이 될 가능성이 크다. 이러한 주들 중에서도 히스패닉 유권자가 빠르게 증가하고 있는 네바다 주나 최근 경제 사정이 악화된 푸에르토 리코(Puerto Rico)로부터 히스패닉 유권자들이 대거 유입되고 있는 플로리다 주 등은 경합주들이기 때문에 향후 대통령선거 결과에도 직접적으로 영향을 줄 수 있다는 점에서 트럼프 지지기반의 한계가 갖고 있는 문제의 심각성이 더욱 크다고 볼 수 있다.

또한 앞서 본 것처럼 저학력 집단에서의 트럼프의 높은 지지는 학력이 낮고 정치적 관심이 적은 유권자들일수록 이념이나 이슈보다는 인종적 집단과 같은 사회집단에 대한 태도나 경제적 상황 등에 의해 정치적 선택이 이루어진다는 컨버스(Converse 1964) 등의 오래된 주장과 일치된다. 트럼프 후보의 흑인, 히스패닉, 무슬림 등 소수집단에 대한 부정적이고 공격적인 언행과 일자리 상실 등 어려운 경제 상황에 대한 빈번한 언급이 평소 정치참여가 저조했던 저학력 백인 유권자들로부터 높은 지지를 끌어내는 데 실제로 중요한 요인으로 작용하고 있는 것이다. 이처럼 트럼프 지지자들이 백인 유권자 중에서도 대학 교육을 받지 못한 상대적으로 저학력 유권자들에 과도하게 집중되어 있어 트럼프가 대학 졸업 미만의 저학력 백인 집단에서 39%의 큰 격차로 승리하고 있지만 대학 졸업 이상의 고학력 백인 집단에서 트럼프의 승리 격차는 4%에 불과하였다.[18]

고학력 백인 집단에서 공화당 대선 후보가 민주당 대선 후보에게 이처럼 고전하고 있는 것은 유례가 없는 현상으로 가장 최근의 2012년 대통령선거에서 패배한 공화당의 롬니 후보도 민주당의 오바마 후보보다 고학력 백인 집단에서는 6% 정도 앞선 바 있다. 이와 같은 트럼프 후보의 고학력 백인 집단에서의 저조한 지지는 특히 미국 대통령선거의 승패를 좌우하는 경합주들 중 고학력 백인 유권자의 비율이 높은 콜로라도, 노스 캐롤라이나, 버지니아 주 등에서 공화당의 경쟁력을 약화시킬 수 있는 주요 원인이 될 수 있다.[19] 실제로 플라워스(Flowers 2016)의 카운티별 2016년 대통령선거 지지도 분석에 따르면 트럼프 지지는 대졸 이상 유권자 비율이 20% 미만인 카운티에서 2012년 대비 14% 증가했지만 대졸 이상 유권자 비율이 40% 이상인 카운티에서는 2012년 대비 6% 감소하고 있다.[20] 미국 유권자들의 교육 수준이 꾸준히 상승하고 있는 상황에서 대졸 이상 고학력 유권자 집단의 저조한 공화당 지지는 향후 선거에서 공화당에 불리하게 작용할 수 있는 또 다른 요인이 되고 있다

연령집단별 지지와 관련해서도 트럼프 후보가 고연령 집단에서 높은 지지를 받고 있지만 1980년대 이후 출생한 젊은 밀레니얼 세대로부터 거의 지지를 끌어 내지 못하고 있는 것도 밀레니얼 세대가 미국 유권자에서 차지하는 비율이 이미 가장 클 뿐 아니라 점차 증가하고 있다는 점에서 공화당의 장기적인 전망을 더욱 어둡게 하고 있다. 트럼프의 지지가 고연령 집단에 집중되어 있다는 것은 플라워스(Flowers 2016)의 카운티별 2016년 대통령선거 지지도 분석에서도 확인할 수 있는데, 플라워스의 분석에 따르면 트럼프 지지는 60세 이상 유권자 비율이 20%

---

18 Pew Research Center 2016/11/9.

19 Enton 2016a.

20 이처럼 공화당의 지지기반이 일반유권자들의 평균치와 비교하여 저학력, 고연령 백인에 집중되어 있는 현상은 작은 정부와 감세를 핵심 주장으로 하는 재정적 보수주의 운동가(fiscal conservative activist)들이 빠져 있다는 점에서 트럼프의 지지기반과 정확하게 일치하는 것은 아니지만 2009년 풀뿌리 대중운동으로부터 시작해 공화당의 중요한 지지기반을 형성했던 티파티운동 지지자들에서도 이미 나타난 바 있다(45세 이상 75%, 백인 80%, 대학 교육 미만 학력자 77%, New York Times/CBS 2010년 여론조사).

미만인 카운티에서 2012년 대비 3% 증가에 그치고 있지만 60세 이상 유권자 비율이 30% 이상인 카운티에서는 2012년 대비 12% 증가하고 있다.

샌더스는 트럼프처럼 경선에서 승리하지는 못하였으나 민주당 경선이 시작되었을 때 클린턴 후보에게 57% 차이로 뒤쳐져 있었지만 2016년 6월에 경선이 끝났을 때는 그 차이를 12%로 마감함으로써 클린턴 후보와의 격차를 무려 45%나 줄이는 저력을 보여준 바 있다. 샌더스의 이러한 저력은 민주당의 주류 또는 기득권 세력에 불만을 갖고 있는 진보적인 민주당 지지자들 또는 진보적인 무당파 유권자들의 지지, 특히 진보적 성향의 젊은 유권자들의 강력한 지지가 있었기에 가능한 것이었다.

더욱이 샌더스가 비록 민주당 경선에서는 패배했지만 그가 그간 주장해 온 여러 정책적 입장을 관철시키는 데 성공함으로써 민주당의 정강정책을 보다 진보적인 방향으로 크게 변화시켰다는 점에서 향후 정책적 입장과 관련한 민주당의 지지기반에 미치는 영향은 결코 작다고 할 수 없다. 실제로 샌더스는 민주당 대통령후보로 지명된 클린턴 후보로 하여금 환태평양 자유무역협정(TPP)에 반대하도록 했을 뿐 아니라 부유층을 제외한 대부분 가정의 자녀들에게 주립대학 무료 등록금, 최저시급 15불, 금융산업 규제 강화, 사형제 폐지 등 많은 진보적인 정책 입장을 수용하도록 하는 데 성공한 바 있다. 특히 샌더스의 지지가 20대 젊은 유권자들에게 집중되어 있음은 이들이 앞으로 민주당 지지기반의 주축을 형성하게 되리라는 점에서 민주당 지지기반의 외연을 확장하는 데 적지 않은 의미를 갖고 있다고 할 수 있다.

하지만 샌더스의 지지가 민주당의 중요한 지지기반을 형성하고 있는 흑인과 히스패닉 유권자 집단에서는 매우 취약했다는 사실은 샌더스의 지지기반이 향후 민주당의 지지기반 형성에 미칠 수 있는 영향력의 한 계라고 할 수 있다.[21] 또한 진보적인 민주당 지지자들 또는 무당파 유권자들이 샌더스를 압도적으로 지지했던 것은 사실이지만 샌더스 지지기반의 중요한 또 다른 축은 홉킨스(Hopkins 2016)가 지적하고 있는 것처럼 민주당 경선의 선두주자이었던 클린턴이라는 특정 개인을 지지하지 않는 반클린턴(anti-Clinton) 유권자들이었다는 점도 샌더스의 지지기반이 향후 민주당의 지지기반 형성에 미칠 수 있는 영향력의 또 다른 한계라고 할 수 있다.

VI. 트럼프의 대통령선거 승리와 정당 지지기반 변화

지금까지의 논의들을 정리하자면 트럼프 지지자들과 사회경제적 배경 및 정책적 입장에 있어 뚜렷한 차이가 있는 샌더스 지지자들이 2016년 대통령선거의 본선거 과정에서 트럼프 지지로 선회하는 일은 실현되지 않았다. 더욱이 그간 진행되어 온 정당분극화로 인해 민주당과 공화당

---

21 실제로 경선 과정에서 샌더스는 미시간 주를 제외하고는 흑인 인구가 10%를 넘는 모든 주의 경선에서 패배했고, 콜로라도 주를 제외하고 히스패닉 인구가 10%를 넘는 모든 주의 경선에서 패배했다(Enton 2016a).

의 경계선을 뛰어 넘는 지지 이동은 더욱 제동이 걸렸고 오히려 〈그림 5-4〉의 높은 당파성 투표가 보여주듯이 2016년 대통령선거에서 당파성은 이전의 대통령선거에서와 마찬가지로 선거 결과에 영향을 미치는 핵심 요인으로 작용하고 있다.

결국 민주당 클린턴 후보의 선거 패배는 샌더스 지지자들의 트럼프 후보로의 지지 선회가 아니라 비백인, 여성, 밀레니얼 세대 유권자들의 지지를 오바마가 승리하였던 2008년과 2012년 대통령선거 수준만큼 동원해 내는 데 실패했을 뿐 아니라 민주당의 전통적인 지지기반이었던 중서부 백인 노동자 집단의 강력한 트럼프 지지를 어느 정도라도 제어하는 데 실패했기 때문이다. 반면 트럼프 후보는 대통령선거 결과에서 나타나고 있듯이 활성화된 공화당 지지자들에 추가하여 고연령, 저학력 백인 남성 유권자 뿐 아니라 유사한 사회경제적 배경을 갖고 있는 백인 여성 유권자들의 지지를 이끌어 내는 데에도 성공함으로써 2016년 대통령선거에서 승리할 수 있었다.

하지만 공화당의 2016년 대통령선거 승리에도 불구하고 이번 승리가 앞으로 치러질 선거에서 공화당의 경쟁력을 높이는 데 과연 기여하고 있는지는 또 다른 문제이다. 오히려 최근 진행되고 있는 몇 가지 정치환경적 주요 변화들은 2016년 대통령선거 승리에도 불구하고, 특히 고연령, 저학력, 종교적 백인에 한층 더 집중된 승리로 인해 공화당에 더욱 불리한 방향으로 작용하고 있다고 볼 수도 있다. 먼저 히스패닉 및 아시아계 유권자 비율의 빠른 증가로 미국 유권자의 인종 구성에 있어 백인 비율이 급속히 줄어 드는 방향으로 크게 바뀌고 있고, 전반적인 교육 수준 향상으로 인하여 대졸 이상의 고학력 유권자 비율 역시 지속적으로 증가하는 추세이다. 증가하고 있는 고학력 유권자 비율과 마찬가지로 지속적인 세속화(Secularization)로 인해 종교를 갖고 있지 않거나 관심이 없는 유권자 비율도 빠르게 증가하고 있다. 또한 1980년대 이후 출생한 밀레니얼 세대는 가장 규모가 큰 연령집단일 뿐 아니라 계속 유권자 집단으로 진입하고 있어 앞으로 미국 유권자 집단의 주축을 형성하게 될 세대이기도 하다. 하지만 점차 그 비중이 커지고 있는 밀레니얼 세대의 공화당 지지는 지난 2008년과 2012년 대통령선거에 이어 이번 선거에서도 크게 낮은 실정이다.

이처럼 빠르게 변화하고 있는 정치환경을 고려할 때 비록 트럼프 후보의 2016년 대통령선거 승리에도 불구하고 그의 지지기반이 고연령, 저학력, 종교적 백인 유권자층에 과도하게 집중되어 있었던 점은 공화당과 민주당 간의 힘의 균형에 있어 공화당에 불리하게 작용함으로써 앞으로 치러질 선거에서 공화당의 승리를 어렵게 하는 요인이 될 가능성이 크다. 또한 2016년 대통령선거에서 트럼프가 전통적으로 민주당의 지지기반이었던 백인 노동자들의 지지를 끌어냄으로써 공화당 지지기반의 외연을 확장하는 데 성공하였지만 과연 이들 백인 노동자들이 계속하여 공화당의 새로운 지지기반으로 남아 있을지는 의문이다. 이는 1980년대 대거 공화당의 레이건 후보 지지로 선회하였던 백인 노동자들이 1990년대 클린턴(Bill Clinton)후보가 등장하면서 민주당 지지로 복귀했던 전례가 있기 때문이다.

한편 민주당의 경우에는 2016년 대통령선거에서 클린턴 후보의 패배에도 불구하고 앞으로 치러질 선거에서 승리할 가능성이 낮아졌다고 만 볼 수는 없다. 이는 앞서 언급한 것처럼 지속적으로 그 비율이 증가하고 있는 히스패닉을 비롯한 비백인, 고학력, 비종교적, 밀레니얼 세대 유권자들로부터 민주당이 강한 지지를 받고 있기 때문이다. 비록 이번 선거에서 클린턴 후보가 전통적인 민주당 지지기반이었던 백인 노동자들의 지지를 상실한 상황에서 비백인, 여성, 젊은 유권자들의 지지를 충분히 동원해 내지 못하여 패배하였지만 점차 비율이 증가하고 있는 유권자들로부터의 강한 지지는 앞으로 민주당에 유리하게 작용할 가능성이 크다. 즉 후보나 정책과 같은 단기적 요인들이 미치게 될 영향과는 별도로 민주당의 중장기적인 선거 구도에 있어 우위는 지속되고 있다고 할 수 있다.

결국 2016년 대통령선거 과정에서 형성된 민주당과 공화당의 지지기반으로 인해 양당 간의 힘의 균형에 커다란 변화가 있다고 보기는 아직 어렵다. 다만 이번 선거에서 중서부 제조업 지역에서 패배함으로써 지역적인 지지에 있어 민주당의 기반이 북동부 대서양과 태평양 연안의 도시로 집중되는 현상이 한층 더 심화되고 있는 점은 민주당이 앞으로 극복해 나가야 할 과제이다. 특히 이번에 공화당 지지로 선회하였던 백인 노동자들이 앞으로 어떤 정당 선택을 하느냐 하는 것도 정당재편성으로 이어질 수 있다는 점에서 향후 민주당과 공화당 간의 힘의 균형과 관련하여 주목해 보아야 할 중요한 변수이다(Severns and Meyer 2016). 또한 그동안 주로 비백인 소수 인종과 여성을 대상으로 일종의 정체성 정치(Politics of Identity)를 해 온 민주당이 유권자들이 직면하고 있는 일자리 문제를 비롯한 경제 문제들에 대해서 얼마나 더 설득력 있는 의제 설정과 대안 제시를 할 수 있을 것인가도 주목해 보아야 할 또 다른 변수이다.

6

2018년
연방하원 선거와
정당재편성

이 장에서는 2018년 미국 중간선거를 미국 중서부 지역 미시간, 위스컨신, 오하이오, 아이오와, 미네소타 등 5개 주의 연방하원 선거에서 나타난 저학력 백인 유권자들의 정당지지 행태에 초점을 맞추어 보고 있다. 이는 2016년 대통령선거에서 이들 중서부 5개 주에서 저학력 백인 유권자들을 중심으로 정당지지 행태에 커다란 변화가 있었고, 이러한 변화가 트럼프 공화당 후보의 대통령선거 승리에 결정적인 기여를 했기 때문이다. 이 장에서는 2016년에 중서부 지역에서 나타났던 이러한 정당지지 변화가 일시적인 현상인지, 아니면 2018년 중간선거에서도 지속되고 있는지를 정당재편성(Party Realignment)의 관점에서 논의하고 있다.

2016년 대통령선거에서 트럼프는 많은 선거전문가들의 예측과 달리 극적으로 승리하는 데 성공하였다. 이는 무엇보다도 트럼프가 정치적 아웃사이더로서 기성정치에 변화를 가져올 수 있는 후보라는 이미지와 감세, 오바마케어 철폐, 불법이민자 추방, 보호무역 등의 정책 공약을 분명히 실천에 옮길 수 있는 후보라는 이미지를 많은 보수적인 백인 유권자들에게 각인시킬 수 있었기 때문이었다. 이러한 트럼프의 극적인 대통령선거 승리는 미국 유권자들 중에서도, 특히 저학력 백인 유권자들이 갖고 있었던 일자리 상실에 따른 경제적 불만, 소수 인종의 빠른 인구 증가로 인한 인종적 불안, 진보적 가치들에 대한 문화적 거부감 등을 적극 활용함으로써 가능하였다. 더욱이 선거기간 중 끊임없이 제기되었던 각종 논란과 유권자들을 격앙시켰던 언행에도 불구하고 트럼프가 승리할 수 있었던 것은 미국의 많은 백인 유권자들, 특히 저학력 백인 유권자들이 갖고 있었던 경제적, 인종적, 문화적인 불안과 분노가 얼마나 강한 것이었는지를 보여주고 있다고 할 수 있다.

2016년 대통령선거에서 나타난 여러 현상들 중 미국의 정당정치와 관련하여 특히 주목해 보아야 할 것은 트럼프가 오랫동안 민주당을 지지해 왔던 미시간, 위스컨신 등 중서부 주들에서 승리함으로써 공화당과 민주당 사이의 정당 간 균형에 심대한 영향을 미칠 수 있는 중요한 변화가 이루어졌다는 점이다. 2장에서 논의했던 것처럼 1960년대 이후 수십년간 미국의 남부 및 북동부 지역에서 양대 정당의 지지기반에 커다란 변화가 일어나면서 부분적인 정당재편성이 이루어진 바 있는데, 이와 관련하여 2016년 대통령선거에서 나타난 추가적인 정당 지지기반의 변화가 중요한 함의를 가질 수 있다고 본다. 이는 지난 수십 년간 이루어진 부분적인 정당재편성에 2016년 대통령선거에서 나타난 바 있는 중서부의 제조업 지역과 농촌지역에서의 정당 지지기반의 변화가 더

해진다면 보다 완전한 의미의 정당재편성이 논의될 수도 있기 때문이다.

이러한 문제의식에서 이 장에서는 먼저 2016년 대통령선거에서 미국의 중서부를 중심으로 한 북부 지역에서 어떠한 정당지지 변화가 일어났는지를 1960년대 이후 지속되고 있는 백인 유권자들의 민주당 이탈이라는 시각에서 살펴보고자 한다. 다음으로 2018년 중간선거가 치러지기까지 트럼프 집권 2년 동안 이루어졌던 주요 정책적인 변화들이 이번 중간선거에서의 유권자들의 행태에 어떻게 영향을 미치고 있는지를 보고자 한다. 마지막으로 2018년 중간선거에서 실제로 나타난 유권자들의 정당지지 행태를 지난 2016년 대통령선거에서 중요한 변화가 이루어졌던 중서부 5개 주의 하원선거를 중심으로 분석하고, 이러한 분석결과를 토대로 하여 앞서 언급했던 보다 완전한 의미의 정당재편성과 관련하여 어떠한 함의를 가질 수 있는지를 논의하고자 한다. 본격적인 논의에 앞서 미국의 정당정치 변화를 설명하는 데 유용하게 활용되어 왔던 정당재편성 이론에 대해 먼저 간략하게 살펴보고자 한다.

I. 미국 정당정치의 변화와 정당재편성

정당재편성 이론은 정당 간에 심대하고 지속되는 유권자 이동이 이루어지는 선거, 즉 키이(Key 1955)의 중대선거(Critical Election) 개념으로부터 비롯된다고 할 수 있다. 챔버스와 번햄(Chambers and Burnham 1967)은 키이의 중대선거 개념을 더욱 발전시킨 정당재편성 개념을 사용하여 정당들의 성장에 대한 포괄적인 설명을 시도하였으며, 이후 정당재편성 개념은 번햄(Burnham 1970)에 의해 보다 구체화되었다. 번햄은 정당재편성을 전국적인 수준에서 이루어지는 급격하고 지속성이 있는 정당 지지기반의 변화로 정의하고 있으며 1800년 선거에서 이루어진 첫 번째 정당재편성을 시작으로 대략 30년 주기로 반복하여 이루어져 왔다고 보고 있다. 결국 정당재편성을 구성하는 주요 특징들은 전국적인 수준에서의 정당 지지기반의 심대한 변화, 내구성(Durability), 주기성(Cyclicality), 정당 간 경쟁 심화 및 이에 따른 투표율 증가, 새로운 다수당(Majority Party)의 출현 등으로 요약될 수 있다.

이후 선퀴스트(Sundquist 1983)는 정당재편성을 정당 간 쟁점균열(Issue Cleavage)에 초점을 맞추어 재해석하고 있는데, 특히 갈등치환(Conflict Displacement) 개념을 활용하여 새로운 쟁점들이 이전의 쟁점들을 대체하면서 어떻게 유권자들의 균열구조를 변화시키고 있는지를 보여주고 있다. 특히 선퀴스트는 이전 쟁점을 가로지르는 새로운 쟁점이 절대 다수의 유권자들에 영향을 미칠 때, 그리고 노예제 문제처럼 쟁점이 도덕적인 성격을 갖게 될 때 정당재편성이 이루어진다고 보고 있다.

하지만 1960년대 이후 이전처럼 뚜렷하게 정당재편성이라고 부를 만한 정당정치 변화가 나타나지 않게 되면서 정당재편성 이론에 대하여 회의적인 시각들이 등장하고 있는데, 먼저 워텐버그(Wattenberg 1998)와 쉐이(Shea 1999)는 당파성을 갖는 유권자들이 줄어들면서 정당재편성이 이루어지는 것이 점차 어려워지고 있으며, 실제로 나타나고 있는 현상은 정당재편성이라기보다는 정당정치가 활성화되지 못하는 재편성(Realignment without Revitalization) 내지는 정당편성의 해체(Party Dealignment) 라고 보는 것이 적절하다고 지적하고 있다. 이렇게 보는 주요 이유를 워텐버그와 쉐이는 그동안 미국의 정당들이 후보중심 정당(Candidate-centered Party) 및 후보의 요구에 부응하는 서비스중심 정당(Service-oriented Party)으로 변화해 온 데서 찾고 있다. 이들은 또한 유권자들의 투표결정에 정당보다는 후보의 자질이나 경험과 같은 후보 요인이 더욱 중요하게 작용하는 것을 또 다른 이유로 들고 있다.

보다 최근 들어 제기되고 있는 정당재편성에 대한 회의적인 시각은 정당에 있어 유권자들과의 소통이 무엇보다도 중요하다는 점을 감안하여 특히 정치과정에서 매체가 수행하는 역할이 뚜렷하게 커지고 있는 점에 주목하고 있다. 오웬(Owen 2013)은 최근 진행되고 있는 매체환경의 엄청난 변화가 정치과정에 심대한 변화를 가져오고 있으며, 특히 1990년대 이후 인터넷과 보다 최근 들어 소셜미디어가 정치과정에서 중요한 역할을 수행하게 되면서 정치 커뮤니케이션 구조의 분권화가 빠르게 이루어지고 있다고 보고 있다.

메이지(Mezey 2017) 역시 다양한 매체의 확산으로 전통적인 매체에서 시민 개개인으로 힘이 이동하는 매체 민주화(Democratization of the Media)가 이루어지고 있는데, 특히 정치적 아웃사이더가 소셜미디어를 활용하여 인지도를 빠르게 높여 유력한 정치적 경쟁자로 성장할 수 있어 정당을 우회할 수 있게 됨에 따라 전통적인 정당체계가 크게 약화되고 있다고 보고 있다. 실제로 이러한 현상은 2016년 대통령선거에서 엄청난 숫자의 트윗과 같은 소셜미디어 게시글들이 발휘했던 위력에서도 쉽게 확인할 수 있다. 또한 매체 급증으로 매체 소비자들의 관심을 끌기 위한 경쟁이 치열해지면서 매체 민주화는 정치의 예능(Entertainment)화도 초래하고 있다고 보고 있다.

당파적 유권자의 감소, 후보 중심 정당으로의 변화, 매체 민주화 등이 활성화된 정당재편성을 어렵게 하는 데다, 1960년대 이후 진행되어온 부분적인 정당재편성 역시 번햄의 정당재편성 요건을 충족시키는 데에는 크게 부족한 측면이 있다. 물론 1960년대 이후 미국 유권자들의 이념에 따른 정당지지 성향의 강화 및 인종 구성의 뚜렷한 변화로 인해 민주당의 주요 지지기반이었던 남부가 공화당의 거점 지역으로 바뀌고 공화당의 지역적 기반이었던 북동부가 민주당의 우세지역으로 바뀌는 등 정당 지지기반에 커다란 변화가 이루어졌던 것은 사실이다. 하지만 이러한 정당정치 변화는 남부와 북동부에 한정된 부분적인 정당재편성에 그치고 있고, 1930년대 이후의 민주당 우위 정당체계로부터 보다 경쟁적인 정당체계로의 변화가 이루어졌지만 새로운 다수당이 출현하지는 못하는 등 번햄의 정당재편성 요건에는 크게 못미치고 있어 1960년대 이후의 정당정치 변화를 정당재편성으로 볼 수 있는지에 대한 논란이 이어지고 있다.

정당재편성을 둘러싼 이러한 논란들에도 불구하고 보다 장기적인 정당 지지기반의 변화, 특히 양대 정당 간 힘의 균형 변화를 설명하는 데 있어서 정당재편성 개념은 여전히 유용하다고 본다. 이러한 관점에서 이 장에서는 2016년 대통령선거에서 나타났던 미국 중서부 지역의 정당지지 변화가 일시적인 현상인지, 아니면 지속되고 있는 현상이어서 보다 완전한 정당재편성의 가능성을 높이고 있는 것인지를 2018년 중간선거 결과를, 주로는 중서부 지역의 하원선거 결과를 중심으로 분석하고자 한다. 본격적인 분석에 앞서 이번 중간선거가 기본적으로는 트럼프 대통령에 대한 심판의 성격을 강하게 갖고 있음을 감안하여, 먼저 2016년 대통령선거에서 어떤 요인들이 트럼프의 당선을 가능케 하였는지를 1960년대 이후 지속되어 온 백인유권자들의 민주당 이탈이라는 시각에서 살펴보고, 이어서 이번 중간선거가 치러지기까지 트럼프 집권 2년간 시행되었던 주요 정책들이 유권자들의 정당지지 행태에 어떻게 영향을 미치고 있는지를 보고자 한다.

II. 2016년 대통령선거와 트럼프 집권 2년

1. 백인 유권자들의 민주당 이탈과 대통령선거

민주-공화당 간 힘의 균형과 관련하여 지난 50여년간 미국 정치에서 이루어진 가장 중요한 추세 변화는 민주당에 대한 백인 유권자들의 지속적인 지지 감소, 즉 백인 유권자들의 지속적인 민주당 이탈과 공화당으로의 지지 변화이다. 이러한 백인 유권자들의 투표행태는 주요 쟁점들에 대한 양대 정당들의 입장 변화와 미국 사회의 인종구성 변화와 밀접하게 관련되어 있다.

1930년대 루즈벨트 대통령의 뉴딜 정책이 시행된 이후 전통적으로 민주-공화 양대 정당은 연방정부의 크기와 역할을 둘러싸고 뚜렷하게 다른 입장을 취하여 왔다. 즉 연방정부가 더 많은 역할을 수행해야 하는지, 아니면 이미 너무 많은 역할을 수행하고 있기 때문에 상당수의 정부 업무들을 민간부문에 맡기는 게 더 바람직한 것인지에 관한 문제, 즉 적극적 정부(Activist Government)의 문제를 둘러싸고 이를 지지하는 민주당은 이에 맞서는 공화당과 대립하여 왔다. 결국 이 문제는 정부가 민간 부분의 경제 활동에 대하여 필요한 규제를 하는 게 바람직한 것인지, 그리고 시장경제가 운영되면서 낙오되는 경제적 약자들에 대해 사회안전망을 마련을 위해 더 많은 정부지출을 할 필요가 있는지를 둘러싼 문제이기에 주로는 양대 정당의 계급적 지지기반과 관련되어 있다.

1964년 민권법의 의회 통과는 민권법 통과를 강력히 지지하였던 민주당에 분노한 남부의 많은 백인 유권자들의 민주당 이탈이 이루어지게 된 계기가 되었다는 점에서 본격적인 정당 지지기반의 변화가 시작되는 분수령이라 할 수 있다. 특히 1965년 투표권법의 의회 통과로 남부 흑인들의 본격적인 선거 참여가 시작되면서 인종문제와 적극적인 정부 문제에 관한 민주당의 진보적인 입장을 지지하는 비백인 소수인종 유권자들에 대한 민주당의 의존도는 점점 더 증가하게 된다. 이에 따라 민주당 내 비백인들의 영향력 및 존재감이 커지게 되고 이는 보수적인 백인 유권자들의 인종적인 불안과 분노를 확산시켜 민주당을 더욱 외면하게 되는 결과로 이어졌다.

보수적인 백인 유권자들의 이러한 인종적인 불안과 분노는 지난 3,

40년간 빠르게 진행되어 온 미국 인종구성의 커다란 변화에 의해 더욱 증폭되고 있다. 새로운 이민자들의 유입과 높은 출산율로 소수 인종집단 인구가 크게 늘어남에 따라 미국 전체 인구에서 비백인 소수 인종집단 인구가 차지하고 있는 비율은 최근 들어 빠르게 증가하고 있다. 실제로 1950년 인구조사 통계에서 미국 전체 인구의 채 10%를 넘지 못했던 소수인종 인구 비율이 2010년 인구조사 통계에서는 전체 인구의 36%까지 늘어나고 있는데, 이러한 증가 추세는 특히 1980년대 이후 가속화되고 있다.

더욱 중요한 것은 이처럼 빠르게 진행되고 있는 비백인 소수인종 인구의 증가가 젊은 연령집단에서 특히 두드러지게 나타나고 있다는 점이다. 이는 비백인 소수인종 인구의 빠른 증가가 앞으로도 지속될 가능성이 높다는 것을 의미하며, 특히 가장 높은 출산율을 갖고 있는 히스패닉 집단의 인구 증가는 더욱 가속화되어 전체 인구에서 차지하는 히스패닉계 인구 비율은 앞으로 크게 높아질 전망이다. 실제로 미국 인구조사 통계국은 2050년이 되면 히스패닉계 인구를 포함한 비백인 인종 인구의 비율이 전체 미국 인구의 절반을 넘어서게 될 것으로 전망하고 있다. 현재에도 이미 가장 인구가 많은 캘리포니아와 텍사스 두 주에서는 히스패닉을 포함한 비백인 인구가 다수를 점하고 있다는 실정이다. 이처럼 최근 진행되고 있는 비백인 인구의 빠른 증가 추세가 백인들의 다수인종 위상을 위협하고 있는 상황에서 보수적인 백인 유권자들의 인종적 분노는 더욱 커지고 있다.

남부 지역 뿐 아니라 그 이외 지역의 보수적인 백인 유권자들로 하여

금 민주당을 외면하게 만드는 또 다른 요인은 1980년대 이후 새로운 정치쟁점으로 부상한 문화적인 이슈들과 관련하여 민주당이 공화당과 점점 더 뚜렷하게 대비되는 진보적인 입장을 취하고 있다는 점이다. 더욱이 낙태나 동성애자 결혼 문제와 같은 문화적인 쟁점들은 경제적 또는 계급적인 사회균열선보다는 종교적 또는 문화적인 균열선을 따라 미국사회를 분열시키고 있어 그 정치적 영향력은 더욱 커질 수 있다. 실제로 많은 경험적인 연구들은 오늘날 미국정치에서 문화적인 쟁점들이 유권자들의 정당일체감이나 투표선택에 미치는 영향력은 경제적인 쟁점들보다도 더욱 강력한 것임을 보여주고 있다.

특히 민주-공화 양당의 문화적인 쟁점들에 대한 상이한 입장들이 시간이 지날수록 점점 더 뚜렷해지고 일관성을 유지하고 있어 이러한 쟁점들이 유권자들의 정당지지 행태에 미치는 영향력은 앞으로 더욱 커질 것으로 보인다. 인종문제 및 낙태 합법화, 공립학교에서의 예배금지, 동성애자 권리 보호 등 문화적 쟁점들에 있어 민주당이 취하고 있는 진보적 입장에 추가하여 앞서 언급하였던 적극적 정부론에 기초한 각종 사회복지 정책들이 대부분 비백인 소수인종 집단에 더 많은 실질적인 혜택을 주고 있다는 인식도 인종적인 분노를 갖고 있는 많은 보수적인 백인 유권자들을 공화당 지지로 돌아서게 하는 주요 요인으로 작용하고 있다.

2016년 대통령선거에서 백인 유권자들의 민주당 이탈은 주로 북부지역에 거주하는 백인 유권자들에서 나타나고 있다. 결국 민권법과 투표권법이 민주당의 강력한 지지로 의회를 통과한 이후 민주당을 대거 이탈하였던 남부 백인들에 더하여 2016년 대통령선거에서 북부 백인

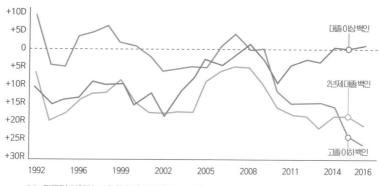

그림 6-1 교육수준별 백인유권자들의 정당일체감 변화

D는 민주당 일체감, R은 공화당 일체감을 표시함.
출처: http://www.voterstudygroup.org/publications/2016-elections/

유권자들의 민주당 이탈이 추가되면서 보수적인 백인 유권자들의 민주당 이탈 규모는 더욱 커지고 있는 것이다. 이처럼 보수적인 백인 유권자들의 민주당 이탈 규모가 계속 커지게 되면서 민주당의 선거연합(Electoral Coalition) 또는 정당 지지기반은 점점 더 비백인 유권자와 진보적인 백인 유권자로 이루어지고 있다. 이는 1960년대 이후 민주당이 인종문제 및 문화적인 쟁점들에 있어 뚜렷하게 진보적인 입장을 취하면서 보수적인 백인 유권자들의 지지는 큰 폭으로 줄어들었지만 비경제적인 쟁점들과 관련하여 진보적인 입장을 갖고 있는 진보적인 백인 유권자들의 지지는 확대되어 온 바 있기 때문이다. 하지만 이처럼 유권자들의 이념적인 성향과 정당지지가 점차 일치되는 정당구획화(Party Sorting) 현상이 진행되면서 진보적인 백인 유권자들의 민주당 지지 증가가 보수적인 백인 유권자들의 민주당 이탈 규모를 상쇄할 수 있는 수준에는 미치지 못하여 전체 백인 유권자들의 민주당 지지는 지속적으로 감소하여 왔다.

백인 유권자들의 민주당 이탈과 관련하여 최근 들어 나타나고 있는 또 하나 흥미 있는 현상은 백인 유권자들의 민주당 이탈이 대학을 졸업하지 못한 저학력 백인들에 집중되고 있다는 점이다. 반면에 대학 졸업 이상의 학력을 갖고 있는 고학력 백인 유권자들의 경우에는 민주당 지지가 오히려 증가함에 따라 백인 유권자들의 교육 격차가 정당지지에 미치는 영향력은 점점 더 커지고 있다. 즉 〈그림 6-1〉에서 보듯이 최근 들어 교육 격차(Education Gap)가 백인 유권자들의 정당지지를 결정하는 주요 변수가 되고 있는 것이다. 이처럼 교육수준 격차가 백인 유권자들의 정당지지나 투표선택을 설명하는 주요 변수가 되고 있는 것은 이러한 교육수준 격차가 인종문제나 문화적인 쟁점들에 대한 입장과 밀접하게 관련되어 있기 때문이다. 즉 저학력 백인 유권자들에 비해 고학력 백인 유권자들이 인종문제나 문화적인 쟁점들에 있어 훨씬 더 포용적이거나 진보적인 입장을 취할 가능성이 크기 때문이다.

여기에서 논의하고 있는 인종적, 문화적 쟁점들은 사이즈 등(Sides et al. 2018)이 말하는 인종, 종교, 성 등과 연계되어 있는 소위 정체성 쟁점(Issue of Identity)들과도 유사하다고 볼 수 있다. 특히 백인 유권자들의 경우에는 경제적인 문제보다 정체성 쟁점들이 투표선택을 결정짓는 더욱 중요한 변수가 되고 있다고 보고 있는데, 이는 경제문제가 중요하지 않은게 아니라 경제 문제에 대한 입장 역시 인종문제에 대한 태도에 의해 형성될 가능성이 많기 때문이다. 사실 경제적 어려움이나 고통은 그리핀과 사이즈(Griffin and Sides 2018)가 지적하듯이 저학력 백인 유권자에서보다 흑인, 히스패닉 같은 비백인 저학력 유권자들에서 더 심각하다. 그럼에도 불구하고 저학력 백인 유권자들의 트럼프 지지가 높은 것은 이들이 단지 경제적 불만 때문에만 트럼프를 지지한 것이 아니고 경제적 불만이 이들의 인종적인 태도와 연계되어 있기 때문이었다고 볼 수 있다. 사이즈 등(Sides et al. 2018)은 이를 인종화된 경제(Racialized Economics)라 부르고 있으며, 인종화된 경제를 '자격이 안 되는 비백인 소수인종들이 경제적 혜택을 받고 있어 상대적으로 백인들은 경제적인 불이익을 받고 있다는 믿음'이라 정의하고 있다.

앱라모위쯔(Abramowitz 2018)도 인종화된 경제와 유사한 의미를 갖는 인종적 분노 개념을 사용하여 최근 들어 심화되고 있는 정당분극화를 설명하고 있다. 앱라모위쯔에 따르면 인종적 분노 지수가 높은 공화당 지지자들의 비율은 1980년대 이후 지속적으로 증가하여 왔는데, 레이건 집권기에 44%에서 오바마 집권기에는 64%까지 커지고 있다. 더욱이 2016년 대통령선거 과정에서 트럼프가 많은 저학력 백인 유권자들이 불만을 갖고 있는 임금 정체 및 일자리 감소와 같은 경제적 문제들이 불공정 무역뿐 아니라 많은 수의 이민자 유입으로 초래된 것임을 강조함으로써 경제적 문제에 인종적 의미를 부여하면서 저학력 백인 유권자들의 공화당 대통령후보 지지 비율은 2008년 69%에서 2016년에는 87%까지 치솟고 있다.[1] 〈그림 6-2〉에서도 2016년 대통령선거에서

---

1   Abramowitz 2018.

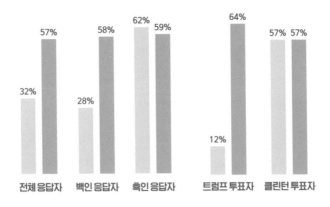

그림 6-2 백인과 흑인 및 트럼프 지지자와 클린턴 지지자의 인종적 인식

전체 응답자   백인 응답자   흑인 응답자   트럼프 투표자   클린턴 투표자

■ 흑인들이 충분히 혜택을 받고 있지 못하다는 데 동의
■ 평균적 미국인들이 충분히 혜택을 받고 있지 못하다는 데 동의

출처: HuffPost/YouGov Poll(2016/12/23)

트럼프 지지자와 클린턴 지지자 사이에 인종적 인식의 큰 차이가 있음을 확인할 수 있다.

2016년 대통령선거에서 유권자들의 공화당 지지로의 이동은 지역적으로 균일하게 이루어진 것은 아니었고 중서부의 북쪽에 위치한 제조업이 밀집한 지역과 북부의 농촌 지역에 집중되어 있었다. 실제로 2016년 대통령선거에서 가장 큰 폭의 유권자 지지 변화가 이루어졌던 지역은 2012년 대통령선거에서 민주당의 오바마를 지지했지만 2016년 대통령선거에서 공화당의 트럼프 지지로 돌아선 아이오와, 미시간, 오하이오, 펜실베이니아, 위스컨신 등 5개 주와 1972년 이후 최초로 공화당 지지로 돌아설 뻔했던 미네소타 주 등 모두 6개 주이다. 결국 흑인

그림 6-3   대통령선거의 주별 결과

2012년

■ 민주당 승리 주   ■ 공화당 승리 주   ■ 공화당이 추가로 승리한 주

출처: http://www.nytimes.com/elections/2012/results/

2016년

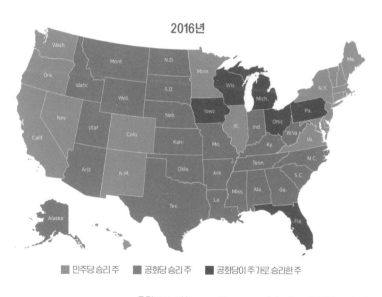

■ 민주당 승리 주   ■ 공화당 승리 주   ■ 공화당이 추가로 승리한 주

출처: http://www.nytimes.com/elections/2016/results/

그림 6-4 트럼프가 롬니보다 지지율이 높았던 지역

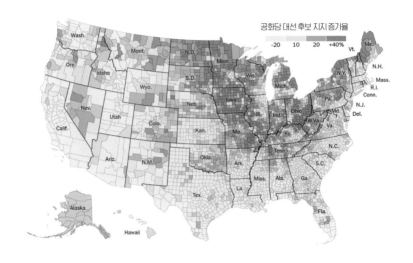

그림 6-5 백인 인구의 카운티별 비율

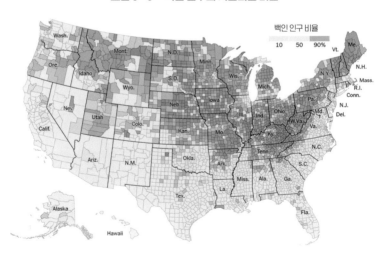

출처: Confessore/Cohn(New York Times 2016/11/9)

그림 6-6 저학력 백인 유권자의 카운티별 비율

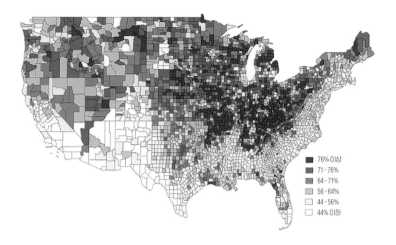

■ 76% 이상
■ 71-76%
■ 64-71%
■ 56-64%
□ 44-56%
□ 44% 이하

출처: Center for American Progress(2017/11/1)

을 비롯한 소수 인종과 북부 백인들로 구성되었던 오바마 선거연합이
붕괴되면서 〈그림 6-3〉에서 보듯이 소위 중서부 방화벽(Midwestern
Firewall) 또는 푸른 장벽(Blue Wall)이 무너졌던 것이다.

또한 〈그림 6-4〉와 〈그림 6-5〉는 2016년 대통령선거에서 트럼프
후보의 지지율이 4년 전 2012년 대통령선거에서 롬니 공화당 후보의
지지율보다 높았던 지역들이 백인 인구 비율이 높은 지역들과 거의 일
치하고 있으며 중서부를 중심으로 한 북부 지역에 집중되어 있음을 보
여주고 있다. 실제로 2016년 대통령선거에서 중서부 백인들의 투표행
태는 남부 백인들의 투표행태와 크게 다르지 않았는데, 예를 들어, 조지

아 주 백인들이 클린턴보다 트럼프를 75대 20의 격차로 지지했던 것처럼 오하이오 주 백인들 역시 트럼프를 62대 33의 격차로 지지함으로써 2012년 대통령선거와는 뚜렷하게 달라진 투표행태를 보여 준 바 있다.

중서부와 북동부 백인들의 이러한 투표행태 변화는 단순히 지역적인 변화만이 아니고 교육수준의 차이에 따른 투표행태 변화이기도 하다. 즉, 민주당에서 공화당으로 지지를 바꾼 백인들은 대부분 대학을 졸업하지 못한 백인들에서 뚜렷하게 나타나고 있고 트럼프는 이들 저학력 백인 유권자들로부터 이전 대통령선거에서의 공화당 투표율보다 득표율이 크게 상승하였는데, 교육수준 차이에 따른 이와 같은 투표 격차 역시 〈그림 6-6〉에서 보듯이 저학력 백인 유권자 인구 비율이 높은 중서부를 중심으로 한 북부지역에 집중되어 있다. 결국 2016년 대통령선거에서 트럼프의 승리는 주로 중서부와 펜실베이니아를 포함한 쇠락한 제조업 지역(Rust Belt)의 주들에서 백인 노동자계급 유권자들과 이 지역 농민들의 높은 지지에서 비롯되고 있다고 할 수 있다.

2. 트럼프 집권 2년과 2018년 중간선거

2018년 중간선거에서 하원 다수당이 되기 위한 민주-공화 양당 간의 경쟁이 치열했던 선거구는 당초 주로 교육수준이 높은 교외 지역 선거구들이 될 것으로 예상되었으나 점차 교외 지역 선거구 뿐 아니라 2016년 대통령선거에서 트럼프를 지지했던 저학력 백인 유권자들이 많이 거주하고 있는 선거구, 즉 노동자계급 유권자들이 많이 거주하는 선거구 및 농촌 선거구로까지 확대되었다. 이처럼 2018년 하원선거에서 경합선거구가 트럼프 지지율이 높았던 지역으로까지 확대된 것은 트럼프 집권 2년간 이들 지역에서의 공화당 우세가 많이 약화되었다는 것을 반영한다고 볼 수 있다. 지금부터는 트럼프 지지가 높았던 지역에서 지난 2년간 공화당의 우세를 약화시켰던 요인들을 살펴보고자 한다.

우선 지난 2016년 대통령선거에서 보호무역 정책을 내세워 백인 노동자계급 유권자들의 지지를 끌어냈던 트럼프가 집권 후 취했던 철강 및 알루미늄 등 수입품에 대한 관세 인상 조치들이 미국 기업의 이익을 늘리는 효과는 가져왔지만 이러한 결과가 곧 바로 노동자들의 임금 상승으로는 이어지지 못함에 따라 백인 노동자들의 실망이 커졌다는 점을 지적할 수 있다. 2018년 중간선거 전 실시되었던 한 여론조사(New York Times 2018/9/19)에 따르면 외국으로부터의 수입품에 대한 고율의 관세 부과에 대하여 미국 유권자의 60% 정도는 부정적으로 보고 있으며, 2018년 들어와 철강 노동자들이 수차례 파업을 예고하였던 것은 외국산 수입품에 대한 관세 인상으로 인해 창출되는 이익이 노동자들과 공유되지 않고서는 자동적으로 노동자들의 임금 상승으로 이어지지는 않는다는 것을 잘 보여주는 예라고 할 수 있다.

또한 외국산 수입품에 대한 고율의 관세 부과는 농촌 지역의 선거에서도 공화당에 불리하게 작용하였는데, 이는 중서부에서 많이 생산되는 옥수수나 콩 등을 포함한 미국 농산품의 해외시장 의존도가 매우 높은 상황에서 고율의 관세 부과가 교역 상대국의 보복관세를 불러와 많은 미국 농민들에게도 심대한 타격을 주었기 때문이다. 실제로 무역 상대국의 보복관세로 인해 해외 소비자들의 미국 농산품 구매가격이 인상됨에 따라 미국 농산품의 국제경쟁력 하락으로 발생한 큰 폭의 소득 감소에 대한 농민들의 불만은 점점 커져갔다. 특히 중국과의 무역 분쟁으로 인한 농민들의 소득 감소를 보전하기 위해 트럼프 행정부가 40억불 이상의 구제 지원책을 강구하였지만 이러한 연방정부의 구제 조치가 무역 분쟁으로 인한 농민들의 손실을 보전하는 데는 크게 미흡하였다. 이처럼 중국과의 무역 분쟁으로 인한 콩과 옥수수 같은 농산물 가격 하락에 많은 불만을 갖고 있는 중서부 농민들을 무마하기 위해 트럼프는 중간선거에 임박하여 환경오염 우려 때문에 그동안 금지해 왔던 옥수수로부터 추출한 에탄올을 함유한 휘발유의 하절기 판매 금지를 해제하는 조치를 취하겠다고 발표하기도 하였지만 이 역시 별반 효과를 보지는 못하였다.

트럼프 행정부의 또 다른 주요 정책인 이민 정책 역시 불법체류 미성년자 추방유예(DACA) 제도 철회 조치나 2018년 봄에 미국 이민세관단속국(Immigration and Customs Enforcement)이 취한 국경에 도착한 불법 이민자들의 자녀들에 대한 분리 대응 조치, 그리고 중간선거 막바지에 멕시코 국경을 향하여 올라오고 있는 히스패닉 난민 행렬을 저지하기 위해 군대를 투입하여 대응하는 방식 등이 많은 미국 유권자들에게 과도하게 비인도적인 정책이라는 인식을 심어줌으로써 역풍을 맞은 바 있다. 실제로 불법 이민 가족의 분리 정책에 대한 여론 조사는 반대 58% 대 찬성 34%로 반대 여론이 압도적으로 우세함을 보여주고 있다. 더욱이 트럼프 행정부의 강력한 반이민정책은 농촌에서 필요로 하는 농업노동자 확보를 어렵게 하여 미국산 농산품에 대한 보복 관세로 이미 소득이 크게 감소한 농민들의 상황을 더욱 어렵게 한 바 있다. 이는 이주 노동자에 대한 사증 발급이 허용되어 있지 않은 상황에서 그동안 농업 노동자의 상당 부분을 불법이민자로 채워왔기 때문이다.

또한 트럼프 행정부가 폐지를 목표로 했던 오바마의 건강보험 정책 역시 오바마 의료정책의 일부 항목들의 경우에는 유권자들의 지지가 높았기 때문에 유권자들의 반대에 직면하고 있다. 특히 과거 병력(Preexisting Conditions)을 이유로 건강보험 회사들이 보험 가입을 거부하는 것을 금지했던 오바마 건강보험 정책에 대해서는 미국 유권자들의 지지가 매우 높다.[2] 더욱이 오바마 건강보험 정책을 폐지하고 이를 대체하는 새로운 건강보험 법안의 의회 통과가 무산된 상황에서 일부 의료혜택이 사라진 유권자들로부터의 반대에 직면하였던 것이다.

이처럼 트럼프 행정부의 무역정책, 이민 정책, 의료 정책 등에 대해 트럼프를 지지했던 백인 노동자 및 농민들을 포함한 많은 미국 유권자들의 점증하는 불만은 중서부 주들을 포함한 대부분의 주에서 집권 2년차에 들어선 트럼프 대통령에 대한 40% 전후의 저조한 지지율로 이어진 바 있다. 특히 점차 중간선거가 임박하면서 중서부의 경합 지역에 거주하는 많은 유권자들이 트럼프 대통령과 공화당을 견제할 필요가 있다는 인식을 갖게 되면서 공화당에 더욱 불리한 선거지형이 형성된 바 있

---

2   실제로 과거 병력을 이유로 건강보험 가입을 거부하지 못하도록 한 오바마의 건강보험 정책에 대한 유권자들의 지지는 86%에 달할 정도로 매우 높은 수준이다.

다. 이러한 유권자들의 인식 변화가 공화당을 지지하지 않을 가능성이 높았던 교외에 거주하는 고학력 유권자들 뿐 아니라 2016년 트럼프를 지지했던 저학력 백인 유권자들에게까지도 확산되는 결과를 가져 왔던 것이다. 트럼프가 주요 업적으로 내세우고 있는 것처럼 낮은 실업률, 경제 성장률 증가 등 경제 지표들이 뚜렷하게 개선되어 온 것은 사실이지만 트럼프 집권 이후 시행되었던 무역, 이민, 의료 정책 등에 대한 유권자들의 불만이 확산되면서 개선된 경제상황이 유권자들의 투표선택에 미치는 효과는 예상했던 것만큼 크지는 못했다고 볼 수 있다.

III. 중서부 5개 주의 2018년 연방하원 선거 분석

이 장에서 2018년 중간선거 분석의 초점은 2016년 대통령선거에서 트럼프를 지지했던 백인 노동자계급 유권자들과 농촌지역 유권자들이 2018년 중간선거에서 보여주었던 투표행태에 맞추어져 있다. 특히 분석을 통하여 대부분 저학력, 저소득층에 속하는 이들 백인 유권자들이 2016년 트럼프가 승리했거나 또는 거의 승리할 뻔했던 오하이오, 미시간, 위스컨신, 아이오와, 미네소타 등 5개 중서부 주의 2018년 하원선거에서 2016년 대통령선거에서와 비슷한 수준으로 공화당 후보를 지지하고 있는지를 확인하고자 한다.[3]

3 이 장에서 사용되고 있는 데이터 중 2012년과 2016년 대통령선거 및 2014년 중간선거에서

표 6-1 중서부 주의 대선과 하원선거 공화당-민주당 득표율 차이 변화(%)

주	공화당-민주당 득표율 차이 변화 (2016/2012 대통령 선거)	공화당-민주당 득표율 차이 변화 (2018/2014 하원선거)
아이오아	15.33	-11.75
오하이오	11.13	-14.19
미시간	9.74	-7.29
미네소타	6.18	-6.38
위스컨신	7.73	-14

위 표의 수치는 하원선거구 공화당-민주당 득표율 차이가 연속적인 두 대선 또는 하원선거 사이에 변화한 비율의 각 주 평균치임.

2016년 대통령선거에서 정당재편성이 있었던 중서부 5개 주에서 저학력 백인 유권자들이 2018년 하원선거에서도 비슷한 수준으로 공화당 후보를 지지하고 있는지를 확인하기 위해 우선 2016년 대통령선거에서 중서부 5개 주 50개 하원 선거구에서의 트럼프와 클린턴 간 득표율 격차가 4년 전 2012년 대통령선거에서 오바마와 롬니의 득표율 격차 대비 변화한 정도를 2018년 하원선거에서 공화당-민주당 후보 간 득표율 격차가 2014년 하원선거에서 공화당-민주당 후보 간 득표율 격차 대비 변화한 정도와 비교하였다.[4] 〈표 6-1〉에서 보여주

공화·민주당 후보 득표율 데이터는 Dailykos에서, 그리고 2018년 중간선거에서의 양당 후보 득표율 자료는 Politico에서 각각 추출하였으며, 선거구별 저학력 백인 유권자 관련 데이터는 CQ Almanac에서 추출하였다. 또한 관련 데이터를 사용 가능한 경우에는 2016년 대통령선거에서 중서부 5개 주와 비슷하게 저학력 백인 유권자의 공화당 지지가 크게 상승했던 펜실베이니아 주의 하원선거도 분석에 포함하였다.

4   여기에서 2018년 하원선거 결과를 2016년 하원선거 대신 2014년 하원선거 결과와 비교

고 있는 것처럼 중서부 5개 주 모두에서 2018년 하원선거의 공화당 -
민주당 후보 간 격차 또는 공화당 후보의 순득표율(Net Vote Margin)
은 2014년 하원선거에서의 공화당 후보의 순득표율과 대비하여 줄어
들고 있는데, 작게는 6%에서 많게는 14% 이상 크게 감소하고 있다. 이
는 2016년 대통령선거의 경우 중서부 5개 주 모두에서 2012년 대통
령선거와 비교하여 민주당 후보 대비 공화당 후보의 순득표율이 큰 폭
으로 증가하였던 것과는 뚜렷하게 다른 양상을 보여주고 있는 것이다.
　이러한 결과는 이들 중서부 5개 주의 2018년 하원선거에서 2014년
하원선거와 비교하여 저학력 백인 유권자와 같은 공화당 지지 가능성이
높은 유권자들의 일부가 민주당 지지로 선회했을 수도 있지만, 그보다
는 정당일체감이 강한 유권자들이 주로 참여하는 중간선거의 특성상 공
화당에 대한 일체감이 약한 저학력 백인 유권자들의 투표참여가 반트럼
프 정서의 확산으로 참여 욕구가 강해진 민주당 지지자들의 투표 참여
보다 상대적으로 저조했던 데에서 비롯되었을 가능성이 크다고 본다.
즉 중서부 5개 주의 2018년 하원선거에서는 2016년 대통령선거와는
달리 공화당을 지지할 수 있는 저학력 백인 유권자들이 충분히 동원되
지 않은 반면, 교외 지역 선거구에 거주하는 반트럼프 정서가 강한 고학
력 여성들을 비롯한 많은 민주당 지지자들이 투표에 참여하였기 때문이

한 것은 대통령선거가 있는 하원선거와 대통령선거가 없는 하원선거가 치러지는 선거지형
이 투표율에서 20% 가량 큰 폭의 차이가 난다든지 대통령선거가 있는 경우에는 후광효과
(Coattail Effect)가 크게 작용하는 반면 중간선거의 경우에는 현직 대통령에 대한 심판적 성
격을 강하게 갖는 등 많이 다르기 때문이다.

라고 볼 수 있는 것이다.

다음으로 2018년 중서부 5개주의 하원선거에서 이처럼 공화당 후보들의 순득표율이 크게 줄어들고 있는 것이 이 장에서 초점을 맞추고 있는 저학력 백인 유권자들의 투표행태와는 어떻게 관련되어 있는지를 좀더 알아보고자 한다. 이를 위해 2014년 하원선거 대비 2018년 하원선거에서 공화당 후보의 순득표율 변화와 저학력 백인 유권자들과 관련된 5개의 독립변수 각각과의 상관관계 분석 및 2018년 하원선거에서 공화당 후보의 순득표율 변화를 설명하기 위하여 5개 독립변수 모두를 포함한 회귀분석을 사용하였다. 또한 2018년 하원선거에서 나타난 저학력 백인 유권자들의 투표행태와 비교하기 위하여 2016년 대통령선거의 경우에도 동일한 방식의 상관관계 분석과 회귀분석을 실시하였다.[5] 여기에서 사용하고 있는 저학력 백인 유권자들과 관련된 5개 독립변수들은 각 하원선거구별 백인 유권자 비율, 중위 가구소득, 노동자계급 유권자 비율, 대졸 이상 학력 인구 비율, 농촌 지역 유권자 비율 등이다.

〈표 6-2〉는 저학력 백인 유권자와 관련된 각 독립변수와 2012년 대비 2016년 대통령선거 및 2014년 대비 2018년 하원선거에서 공화당 후보의 순득표율 변화 간의 상관관계를 보여주고 있다. 〈표 6-2〉에서 볼 수 있듯이 2018년 하원선거에서 하원선거구별 노동자계급 유권자

---

5 여기에서 사용되고 있는 회귀분석은 완전한 회귀분석모델을 상정하고 있지는 않다. 보다 완전한 분석모델을 위해서는 각 선거구의 실업률과 같은 경제적 요인들이나 연령 또는 종교 요인과 같은 통제 변수들을 포함시켜야 하지만 여기에서는 저학력 백인 유권자 관련 변수들에 국한하여 각 변수들의 독립적인 영향력이 어느 정도인지, 그리고 이들 저학력 백인 유권자 관련 변수들이 어느 정도의 설명력을 갖고 있는지를 주로 보고 있다.

표6-2 저학력 백인 유권자와 공화-민주당 득표율 차이 변화 간 상관관계

(5개 중서부 주의 50개 하원선거구)

구분	공화당-민주당 득표율 차이 변화 (2016/2012 대통령 선거)	공화당-민주당 득표율 차이 변화 (2018/2014 하원선거)
선거구 백인 인구 비율	0.44	0.12
선거구 중위소득	-0.40	-0.31
선거구 노동자 비율	0.12	0.33
선거구 고학력 유권자 비율	-0.82	-0.39
선거구 농업 인구	0.68	0.25

위 표의 수치는 상관관계 계수임.

비율을 제외한 나머지 4개 저학력 백인 유권자 관련 변수들과 공화당 후보의 순득표율 변화 간의 상관관계는 2016년 대통령선거의 경우와 비교하여 모두 크게 약화되고 있음을 확인할 수 있었다.

회귀분석 결과에서도 〈표 6-3〉에서 보듯이 독립변수들의 설명력을 보여 주는 R^2값이 0.83에서 0.23으로 크게 줄어들고 있는데, 이는 5개 독립변수들의 설명력이 2016년 대통령선거와 비교하여 2018년 중간선거에서 크게 약화되고 있음을 의미한다. 또한 각 독립변수의 공화당 후보의 순득표율 변화에 대한 영향력을 보여주는 회귀계수들도 2016년 대통령선거에서는 하원선거구별 백인 유권자 비율과 대졸 이상 학력 유권자 비율이 유의미했던 것으로 나타났던 반면, 2018년 중간선거에서는 하원선거구별 노동자계급 유권자 비율을 제외한 나머지 4개 저학력 백인 유권자 관련 변수들은 유의미하지 않은 것으로 나타나고 있다. 위의 상관관계 분석과 회귀분석의 결과들은 2016년 대통령선

표 6-3 대통령선거와 하원선거 공화-민주당 득표율 차이 변화의 회귀분석

(5개 중서부 주의 50개 하원선거구)

구분	공화당-민주당 득표율 차이 변화 (2016/2012 대통령 선거)	공화당-민주당 득표율 차이 변화 (2018/2014 하원선거)
선거구 백인인구 비율	0.18** (0.06)	0.17 (0.28)
선거구 중위소득	0.00 (0.00)	0.00 (0.00)
선거구 노동자 비율	0.06 (0.33)	3.01* (1.45)
선거구 고학력 유권자 비율	-0.83** (0.14)	-0.26 (0.61)
선거구 농업인구	0.04 (0.03)	0.13 (0.13)
R^2	0.83	0.23

위 표의 수치는 회귀계수이고, 괄호 안 수치는 표준 오차임. *P<0.05 / **P<0.01

거에서 큰 변화가 있었던 중서부 5개주에서 이러한 변화를 주도했던 저학력 백인 유권자들의 공화당 지지가 2018년 하원선거에서는 크게 약화되고 있음을 보여주고 있다고 할 수 있다.

정당재편성과 관련하여 또 하나 고려해 보아야 할 사항은 1980년대 이후 점차 민주-공화당 간의 힘의 균형이 이루어지면서 전국적인 수준에서 보다 경쟁적으로 선거가 치러지게 되고, 이에 따라 양대 정당 간의 대립이 심화되면서 정당지지에 있어 지역적 균열(Geographic Divide)이 심화되고 있다는 점이다. 이러한 지역적 정당분극화로 인해 특정 정당이 우세한 주나 하원선거구의 수가 크게 늘어나면서 각 주와 하원선거구의 선거결과가 그 지역의 대통령선거 결과와 점점 더 일치하는 방향으로 변화되고 있다. 앱라모위쯔(Abramowitz 2018)는 이러한 변화를 선거의 전국화(Nationalization of Election)라 부르고 있는데, 특히 주 및 하원선거구에서 대통령선거에서의 정당 지지율이 해당 지역의 상원이나 하원선거와 같은 하위 선거에 미치는 영향력이 점차 강력해져 현직자 잇점과 같은 지역적 요인들을 압도하고 있음에 주목하고 있다.

이러한 선거의 전국화 현상은 대통령선거 결과에 따른 정당재편성 가능성을 높일 수 있다는 점에서 중요하다고 볼 수 있기 때문에 실제로 이러한 현상이 얼마나 진행되고 있는지를 보기 위해 중서부 5개 주 50개 하원선거구와 펜실베이니아주 18개 하원선거구 모두 68개 선거구에서 2018년 중간선거에서의 공화－민주 후보 간 득표율 격차와 2016년 대통령선거에서의 트럼프와 클린턴 간 득표율 격차 사이의 상관관계를 분석하였다.[6] 마찬가지로 2014년 중간선거에서 68개 선거구에서 민주－공화 후보 간 득표율 격차와 2012년 대통령선거에서의 롬니와 오바마 간 득표율 격차 사이의 상관관계를 분석하여 앞의 상관관계 분석결과와 비교함으로써 대통령선거 결과가 하원선거 결과에 미치는 영향력이 어떻게 변화하고 있는지를 알아보았다. 또한 경쟁적인 선거구에서 대통령 선거의 영향력에 어떠한 차이가 있는지를 알아보기 위해 중서부 5개 주와 펜실베이니아주의 68개 하원선거구 중 경쟁적

---

6 이 분석은 2018년 2월에 재획정된 펜실베이니아 주 18개 하원선거구별 2016년 대통령선거에서 공화당과 민주당 후보의 득표율에 관한 Dailykos의 데이터를 이용할 수 있어 가능하였다.

표 6-4 대통령선거와 하원선거의 공화당-민주당 득표율 차이 간 상관관계

(5개 중서부 주의 50개 하원선거구)

구분	2012 대통령선거	2016 대통령선거
2014 하원선거 (68개 하원선거구)	0.85	
2018 하원선거 (68개 하원선거구)		0.92
2018 하원선거 (17개 경쟁적 선거구)		0.61

위 표의 수치는 상관관계 계수임.

인 선거구로 분류된 17개 선거구[7]를 대상으로 한 상관관계 분석을 실시하였다.

상관관계 분석 결과, 〈표 6-4〉에 볼 수 있듯이 2018년 중서부 5개주와 펜실베이니아 주의 하원선거 결과와 2016년 대통령선거 결과 사이에는 2014년 하원선거 결과와 2012년 대통령선거 결과 간의 상관관계와 비교하여 여전히 매우 높은 수준의 상관관계가 있음을 확인할 수 있었는데, 이는 대통령선거 결과가 같은 지역의 하원선거 결과에 미치는 영향력이 계속 강력하게 유지되고 있다는 것을, 즉 선거의 전국화가 계속하여 진행되고 있음을 보여준다고 할 수 있다. 또한 각 선거구의 선거 경쟁도가 선거의 전국화에는 어떻게 영향을 미치는지를 알아보기 위해 경쟁선거구만을 대상으로 한 2016년 대통령선거 결과와 2018년 하

---

7 Cook Political Report에 따르면 중간선거를 2개월여 남겨둔 2018년 8월 24일 기준으로 전국적으로 69개 하원선거구가 경쟁적인 선거구로 분류되었고, 이 중에서 중서부 5개 주와 펜실베이니아 주에는 17개 선거구가 경쟁적인 선거구로 분류되어 있다.

원선거 결과 간의 상관관계는 모든 선거구를 대상으로 한 상관관계보다 크게 낮은 것을 확인할 수 있었는데, 이는 선거에서의 경쟁도가 선거의 전국화를 악화시키는 요인으로 작용하고 있음을 보여준다 할 수 있다.[8]

IV. 2018년 민주당 하원선거 승리의 정치적 함의

지금까지의 분석을 통하여 중서부 5개 주에서 2014년 대비 2018년 하원선거에서 공화당-민주당 득표율 격차가 2012년 대비 2016년 대통령선거에서 공화당-민주당 득표율 격차보다 크게 줄어들고 있음을 확인할 수 있었다. 또한 저학력 백인 유권자들과 관련된 변수들이 이러한 득표율 격차의 변화에 미치는 영향력 역시 약화되고 있음을 회귀분석 모형의 설명력 감소를 통하여 확인할 수 있었다. 하지만 각 하원선거구의 가장 최근 대통령선거 결과가 하원선거에 미치는 영향력은 여전히 강하게 미치고 있음을 확인함으로써 선거의 전국화 현상은 지속되고 있음을 볼 수 있었다.

2018년 중간선거는 트럼프 선거라 불릴 정도로 트럼프 대통령 지지 여부가 유권자들의 투표선택에 크게 영향을 미친 선거이었다. 하지만 중서부 5개 주의 하원선거 분석에서 보았듯이 2016년 대통령선거에서

---

8   하지만 1990년대 이후 경쟁적인 하원의원 선거구는 지속적으로 감소하고 있는 추세이어서 (Silver 2012), 선거의 전국화 추세를 바꾸고 있지는 못하다.

트럼프 후보를 지지하면서 민주당에서 공화당으로 지지를 선회했던 중서부 지역 저학력 백인 유권자들의 공화당 후보에 대한 지지가 현저하게 약화되면서 또는 이들의 지지 동원이 충분히 이루어지지 않은 결과 중서부 5개 주 하원선거에서 공화당 후보에 대한 지지는 크게 줄어들고 있다. 또한 공화당은 전국적으로도 많은 하원선거에서 패배하였고 결국 하원에서의 다수당 지위를 상실하였다.

이러한 공화당의 부진은 오랫동안 공화당을 지지해 왔던 중서부의 교외지역 하원선거구에서도 뚜렷하게 나타나고 있는데,[9] 이들 여러 교외지역 하원선거구에서 민주당 후보들이 공화당 현역 의원들을 꺾고 승리하는 데 성공하였다.[10] 또한 중서부의 일리노이, 미시간, 위스컨신, 캔사스 주들의 주지사 선거에서도 민주당 후보들이 승리하면서 공화당의 현역 주지사들이 패배한 바 있다. 이러한 중서부 지역의 중간선거 결과들 역시 2016년 대통령선거에서 트럼프 후보의 승리로 시작된 저학력 백인 유권자들을 중심으로 한 중서부의 공화당 지지기반 강화가 지속되고 있지 못하다는 것을 보여준다고 할 수 있다. 또는 적어도 2018년 중서부의 중간선거에서 저학력 백인 유권자들에 대한 공화당의 동원 수준이 교외지역에 주로 거주하는 고학력 백인 유권자들에 대한 민주당의

---

9   교외 지역 유권자들의 정당지지 행태 변화는 7장에서 상세하게 다루고 있다.
10   2018년 중서부의 교외지역 하원선거에서 민주당 후보가 공화당 후보를 꺾고 승리한 선거구는 미시간 주, 일리노이 주, 미네소타 주 그리고 펜실베이니아 주에서 각각 2곳씩이다.(Cook Political Report 2018/11/5; Politico 2018/11/7).

동원 수준에 미치지 못하고 있다고 볼 수 있다.[11] 이처럼 2018년 중간선거에서 중서부 지역의 저학력 백인 유권자들의 공화당 후보에 대한 지지가 현저하게 약화되고 공화당이 하원선거에서 패배하여 다수당 지위를 상실하였기 때문에 2016년 대통령선거에서 나타났던 중서부를 중심으로 한 정당재편성은 일단은 일시적인 현상으로 그쳤다고 평가될 수 있다.

하지만 공화당이 중서부의 아이오와, 오하이오, 사우스 다코타 주들의 주지사 선거에서는 치열한 경쟁을 뚫고 승리한 또 다른 선거 결과들을 볼 때, 중서부 지역에서 공화당의 지지기반이 완전히 약화되고 있다고 보기는 어렵다. 공화당은 또한 트럼프의 선거유세가 집중되었던 중서부의 미주리, 인디애나, 노스 다코타 주들에서도 상대 민주당의 현역 상원의원을 꺾고 승리함으로써 중서부 지역에서 공화당의 지지가 만만치 않음을 보여준 바 있다. 더욱이 최근 주나 하원선거구의 대통령선거 결과가 상원선거나 하원선거에 크게 영향을 주는 선거의 전국화 현상이 지속되고 있으며, 백인들, 특히 저학력 백인 유권자들의 인종적 분노와

---

11 여기에서 주목해 보아야 할 이번 중간선거의 중요한 또 다른 측면은 민주당이 대부분의 경쟁적인 교외 지역 하원선거구에서 승리하는 데 크게 성공했다는 점이다. 실제로 민주당은 2016년 대통령 선거에서 클린턴이 승리했던 중산층 유권자들이 주로 거주하는 교외 선거구 10곳 중 8곳에서 당선자를 낸 바 있다. 그 뿐 아니라 2016년 대통령선거에서 트럼프가 10% 이내의 격차로 승리한 교외 선거구 12곳 중에서도 8곳에서 승리를 거두는 데 성공했다. 민주당이 이처럼 많은 교외 선거구에서 승리했던 것과는 대조적으로 공화당은 작은 도시와 넓은 농촌 지역을 포함하는 12개 선거구 중에서 10곳에서 승리를 거둠으로써 하원선거에서의 전반적인 지지율 하락에도 불구하고 농촌지역에서의 우세는 여전히 유지되고 있다(Cook Political Report 2018/11/5; Politico 2018/11/7).

이러한 백인들의 인종적 분노를 더욱 자극하는 빠른 속도의 비백인 인구 비율의 증가가 지금처럼 지속되는 한, 계기만 주어진다면 인종적 분노를 갖고 있는 저학력 백인 유권자들이 결집될 가능성은 매우 높고, 이로 인한 정당 지지기반의 변화가 이들 저학력 백인 유권자들이 집중되어 있는 중서부 지역을 중심으로 이루어질 가능성은 상존하고 있다고 볼 수 있다. 다만 비백인 유권자 비율이 빠르게 증가하고 있음에도 이들 비백인 유권자들에 대한 공화당의 확장성에 제약이 있기 때문에 공화당 우위 정당체계로의 변화에 한계가 있다는 점은 고려할 필요가 있다.

7

교외 지역의
정당지지 변화와
2020년 대통령선거

미국에서 교외(Suburb) 지역으로의 인구 이동은 이차대전 이후 본격화되었으며, 주로는 계층 상향 이동으로 아메리칸 드림을 이룬 많은 백인 중산층 유권자들 중심으로 이루어졌다.[1] 특히 1950, 60년대 그 수가 크게 늘어난 교외 지역 백인 중산층 유권자들은 정치적으로 보수 성향이 강하였는데, 이들의 보수적인 정치성향은 공산주의 위협에 대한 경계심, 시장경제 자본주의, 기독교 신앙, 그리고 흑백 갈등으로 촉발된 시민 불복종 운동에 대한 거부감 및 법과 질서 유지에 대한 강한 믿음 등을 바탕으로 하고 있었다. 이러한 교외 거주 백인 유권자들의 보수적인 정치성향은 정당지지와 관련해서는 공화당에 대한 지지로 표출되었고, 1964년 공화당 전당대회에서 강한 보수성향의 골드워터 상원의원이

---

1   사실 미국에서 교외 지역으로의 인구이동은 본격적으로 산업화가 이루어지기 시작한 19세기 말까지 거슬러 올라간다.

대통령후보로 지명되는 데 크게 기여한 바 있다.[2] 그 이후 치러진 대통령선거에서 실제로 공화당은 1992, 1996, 2008년 세 차례를 제외하고는 계속하여 교외 지역에서 민주당에 승리한 바 있다.

이처럼 오랫동안 초콜렛 도시, 바닐라 교외(Chocolate City, Vanilla Suburb)라 불리워 질 정도로 비백인 인구의 비중이 높은 도시 지역과는 달리 압도적으로 중산층 백인 거주 지역이었으며 이념적으로 보수적이었고 공화당 지지세가 강해서 매우 동질적이었던 교외 지역이 최근 들어 주민 구성, 이념 성향, 정당지지 등에 있어 이제는 더이상 동질적이지 않다. 특히 선거 경쟁에 있어 민주당 지지세가 강한 도시나 공화당 지지세가 강한 농촌과 달리 교외 지역은 점차 부동층 유권자가 증가하면서 선거유동성(Electoral Volatility)이 높은 지역으로 변화되고 있으며, 실제로 2020년 대통령선거에서도 민주당과 공화당 간의 가장 치열한 선거 경쟁이 벌어졌던 지역이었다.

흔히 미국 선거와 관련하여 민주당과 공화당 간의 경쟁이 치열하게 전개되고 있는 접전주(Battleground State)들에서 어느 정당이 승리하느냐에 주목하고 있지만, 최근 선거에서 접전주의 선거 결과는 접전주 내에서도 인구밀집도에 있어 도시와 농촌 사이에 위치한 교외 지역의 정당 지지가 어느 쪽으로 이동하느냐에 의해 결정되어 왔던 것이 사실이다.[3] 이에 이 장에서는 2020년 미국 대통령선거를 민주, 공화 양당 간

---

2   이처럼 보수적인 교외 지역 거주 백인 중산층 유권자의 중심에는 시장경제 자본주의와 기독교에 대한 강한 믿음을 갖고 있는 교외 지역의 보수적인 가정주부들이 있었다(Nickerson 2014).

3   Bloomberg CityLab(2020)의 2020년 대통령선거 후 분석에 따르면 2020년 대통령선거

의 경쟁이 치열하게 전개되었던 접전주들의 교외 지역 하원선거구에 거주하는 유권자들의 정당지지 행태 변화에 초점을 맞추어 설명하고 있다. 이는 2020년 대통령선거에서 접전주 교외 지역 유권자들의 정당지지 행태 변화가 민주당 바이든 후보의 대통령선거 승리에 결정적인 기여를 했기 때문이다.

I. 교외 지역의 변화와 정치적 함의

1950년 미국 전체 인구의 23%를 차지하던 교외 거주 주민의 비율은 2020년 55%까지 증가하면서 이미 전체 인구의 절반을 넘어섰다.[4] 그리고 이러한 교외 거주 인구의 큰 폭의 증가는 교외 거주 주민들의 인종, 계층, 소득수준에 있어 다양화되는 추세와 동시에 진행될 수밖에 없었다. 우선 교외 거주 주민의 인종 구성에 있어 비백인 인구의 비율이 크게 높아졌을 뿐 아니라 소득수준과 관련해서도 고소득층에서부터 중산층, 그리고 노동자 계층이 거주하는 다양한 교외지역으로 분화가 이

에서 민주당 바이든 후보의 교외 지역 득표율은 51.2%로 2016년 같은 당 클린턴 후보의 득표율 47.2%보다 4% 포인트 득표율 상승을 보여주고 있다. 또한 교외 지역에서 바이든 후보의 득표율 상승은 도시에 인접한 교외 지역 뿐 아니라 훨씬 더 외곽에 위치한 준교외(Exurb) 지역으로까지 확대되고 있다. 예를 들어, 2020년 대통령선거에서 경쟁이 가장 치열한 접전주 중 하나였던 조지아 주 애틀랜타 시 외곽의 준교외 지역에 위치한 포사이(Forsyth) 카운티의 경우 공화당이 승리하였지만 2016년 대통령선거 대비 공화당의 승리 격차(margin of victory)는 14% 포인트나 줄어들어 조지아 주의 민주당 승리에 크게 기여한 바 있다.

4 Dreier 2020.

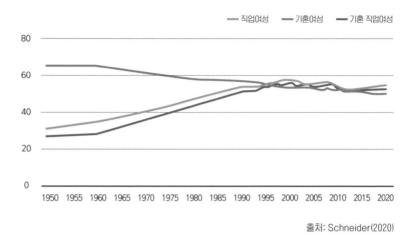

그림 7-1 교외 거주 직업 여성 비율(%)

― 직업여성 ― 기혼여성 ― 기혼 직업여성

출처: Schneider(2020)

루어지고 있어 1960년에 전체 빈곤층 인구의 17%만이 교외에 거주했
지만 2018년에는 그 비율이 44%까지 증가하고 있다.[5] 또한 이제 교외
에 거주하는 여성들은 〈그림 7-1〉에서 보듯이 60% 가까이 직업을 갖
고 있어 더 이상 예전처럼 가정주부가 주를 이루고 있지도 않다.

인종 구성에 있어서도 교외 지역은 이제 더 이상 백인들만의 거주지
역이 아니다. 즉 1960, 70년대의 백인 집단거주 지역(white enclave)
이 아닌 것이다. 특히 〈그림 7-2〉에서 보듯이 1990년대 이후 흑인뿐 아
니라 히스패닉과 아시아계 인구의 비율이 크게 증가하고 있다. 이에 따
라 백인 인구의 비율은 1970년 93%에서 2019년 60%까지 떨어지고

5   Dreier 2020.

그림 7-2   인종별 교외 거주 인구 비율(%)

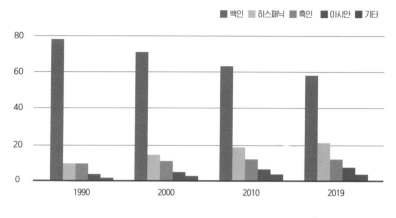

■ 백인 ■ 히스패닉 ■ 흑인 ■ 아시안 ■ 기타

출처: Capps(2020)

있다.[6] 나아가 이제는 흑인, 히스패닉과 아시아계 인구가 다수를 점하는 교외 지역도 늘어나는 추세에 있다. 또한 교외 지역의 다양화가 진행되면서 실업율이나 범죄율뿐 아니라 교육시설이나 대중교통 등과 같은 공공시설이 부족한 측면에 있어서도 교외 지역은 도시 지역과 크게 다르지 않게 되었다.

최근 교외 지역에서 일어나고 있는 더욱 중요한 변화는 이 지역 백인 유권자들의 교육수준 향상과 이로 인한 정치적 성향의 변화이다. 즉 대졸 이상의 학력을 갖고 있는 교외 지역 백인 유권자들이 크게 증가하고 있고, 이들 고학력 백인 유권자들의 정치성향은, 특히 문화적 쟁점들

6   Massey and Tannen 2018; Capps 2020.

표7-1　교육수준 및 성별 차이에 따른 백인 유권자의 2020년 대선후보 지지(%)

구분		바이든	트럼프
고학력	백인	51	48
	남성	48	51
	여성	54	45
저학력	백인	32	67
	남성	28	70
	여성	36	63

출처: Washington Post 출구조사(2020/11/10)

과 관련하여 진보적인 성향을 갖고 있다. 그리고 고학력 백인 유권자들
의 문화적인 진보 성향은 이들의 정당지지에 있어 문화적 쟁점에 대하여
보수적 입장을 취하는 공화당 지지가 감소하고 진보적 입장을 취하는 민
주당 지지가 점차 증가하는 변화로 이어지고 있다. 여기에서 주목할 필
요가 있는 것은 이러한 정당지지 성향이 고학력 백인 유권자들 중에서도
남성보다는 여성 유권자들에서 더욱 뚜렷하게 나타나고 있다는 점이다.

　실제로 최근 백인 유권자들의 정당지지 행태는 교육수준 및 성별
에 따라 크게 차이가 나고 있다. 2020년 대통령선거 출구조사에 따르
면 〈표 7 - 1〉에서 보여주듯이 대졸 이상의 고학력 백인 유권자 집단에
서 민주당의 바이든 후보는 공화당의 트럼프 후보보다 3% 포인트 높
은 지지를 받고 있는 데 비하여 대졸 미만의 저학력 백인 유권자 집단
에서는 트럼프 후보가 바이든 후보보다 35% 포인트 더 많은 지지를 받
고 있어, 저학력과 고학력 백인 유권자 집단 간에 민주, 공화 양당 대통
령선거 후보에 대한 지지율 격차는 38% 포인트까지 벌어져 있다. 하지

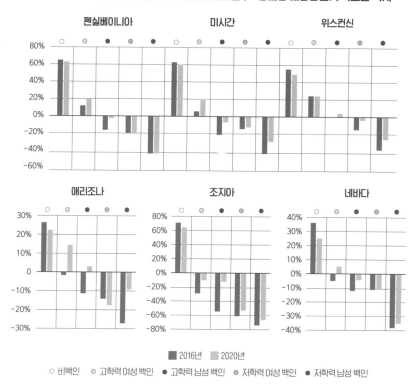

그림 7-3 교육수준, 인종, 성별 차이에 따른 민주-공화당 대통령선거 득표율 격차

펜실베이니아   미시간   위스컨신

애리조나   조지아   네바다

■ 2016년 ■ 2020년

○ 비백인   ◉ 고학력 여성 백인   ● 고학력 남성 백인   ◉ 저학력 여성 백인   ● 저학력 남성 백인

출처: Frey(2020b)

만 같은 고학력 백인 유권자라 하여도 성별에 따른 차이가 크게 나고 있
는데 여성 고학력 백인 유권자의 경우 바이든 후보가 트럼프 후보보다
9% 포인트 높은 지지를 받고있는 반면 남성 고학력 백인 유권자의 경
우에는 트럼프 후보가 바이든 후보보다 3% 포인트 더 많은 지지를 받
고 있어, 고학력 백인 유권자 집단에서 민주당의 우세는 주로 여성 고학

력 백인 유권자들의 높은 지지에 기인하고 있음을 알 수 있다.

전국적인 수준의 출구조사에서 나타나고 있는 교육수준 및 성별의 차이에 따른 정당 지지의 뚜렷한 차이는 〈그림 7-3〉에서 보듯이 2020년 대통령선거에서 치열한 경쟁이 펼쳐졌던 펜실베이니아, 미시간, 위스컨신, 애리조나, 조지아, 네바다 주 등 접전주들에서도 동일하게 나타나고 있다. 즉, 교외 거주 백인 유권자들 중에서 저학력보다는 고학력 유권자들에서, 그리고 남성보다는 여성 유권자들에서 민주당 지지가 높게 나타나고 있는 것이다. 또한 이러한 현상은 4년 전 치러졌던 2016년 대통령선거와 비교하여 더욱 강화되는 추세에 있다.

결국 대부분의 접전주에서 민주당 바이든 후보의 승리는 도시 지역이나 농촌 지역보다는 주로 교외 지역의 지지 증가에 기인하고 있으며, 바이든 후보의 이러한 교외 지역에서의 선전에 가장 많은 기여를 한 유권자 집단은 비백인 유권자 집단을 제외한다면 고학력 백인 유권자 집단이고, 특히 고학력 여성 백인 유권자들의 민주당 지지 증가가 가장 중요한 요인으로 작용하고 있다.[7]

실제로 〈그림 7-4〉는 교육 변수가 인종 변수보다도 교외 지역 정당 지지도에 더욱 큰 영향을 미치고 있음을 보여주고 있다.[8] 〈그림 7-4〉

---

[7] 2020년 대통령선거 2주 전에 실시된 접전주 여론조사 결과에 따르면 교외 거주 고학력 여성 유권자 집단에서 바이든은 미시간 주에서 35% 포인트, 펜실베이니아 주에서 29% 포인트, 위스컨신 주에서 21% 포인트 트럼프를 앞서고 있다(Fox News Poll 2020/10/20).

[8] 정당지지와 관련하여, 교육 변수를 중시하는 자디나(Jardina 2018)는 백인 유권자의 교육 수준이 낮을수록 인종 정체성(Racial Identity)이 높은데, 특히 저학력 백인 유권자들의 경우 거주 지역의 비백인 비율이 빠르게 증가할수록 공화당을 지지할 가능성이 더욱 높아지고

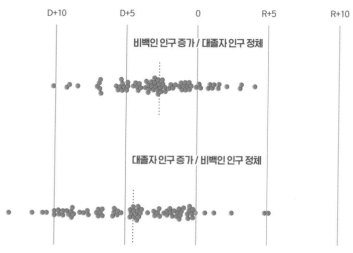

그림 7-4 　2016년 대선 대비 2020년 대선에서 비백인 인구 및 대졸자 인구
변화에 따른 교외/준교외 정당 지지도 변화(%)

D+10　　　　　D+5　　　　　0　　　　　R+5　　　　　R+10

비백인 인구 증가 / 대졸자 인구 정체

대졸자 인구 증가 / 비백인 인구 정체

D는 민주당 지지율, R은 공화당 지지율을 표시함.

출처: Skelley et al.(2020)

는 151개 대도시 지역 교외/준교외 카운티의 2016년 대통령선거 대비
2020년 대통령선거에서의 정당지지도 변화를 보여주고 있는데, 비백
인 인구가 증가한 카운티의 경우 평균 정당 지지율 변화에 있어 민주당
지지율 3% 상승인 반면, 대졸자 인구가 증가한 카운티의 경우에는 평
균 정당 지지율 변화가 민주당 지지율 4% 상승으로 비백인 인구가 증

있음을 보여주고 있다.

가한 카운티와 비교하여 1% 포인트 더 높은 것으로 나타나고 있다.[9]

II. 2018년 연방하원 선거와 교외 지역 유권자

교외 지역 유권자들이 공화당에서 민주당으로 이동한 것은 이미 2016년 대통령선거에서부터 시작되었지만[10] 2020년 대통령선거에서 나타나고 있는 교외 지역 유권자들의 공화당 이탈 현상이 본격적으로 시작된 것은 2018년 연방의원 선거부터이다. 따라서 2020년 대통령선거에서 교외 지역 유권자들이 보여준 정당지지 행태 분석에 앞서 먼저 2018년 연방하원 선거에서 나타났던 교외 지역 유권자들의 변화된 정당지지 행태를 좀 더 구체적으로 살펴볼 필요가 있다.

사실 민주당이 2018년 연방하원 선거에서 다수당이 될 수 있었던 것은 교외 지역 유권자들의 정당지지 변화가 가장 크게 작용하였다. 2018년

9 2020년 대통령선거에서 바이든 후보가 4년 전 대통령선거에서 민주당이 패배했던 펜실베이니아, 미시간, 위스컨신 주 등에서 승리하였지만 8년 전 오바마 후보의 득표율보다는 3%가량 줄어들고 있다. 즉 민주당이 전통적으로 강했던 러스트벨트(Rust Belt) 지역이 민주당이 우세한 파란 장벽(Blue Wall)이 되지 못하고 여전히 경쟁적인 선거가 치러지는 보라색 장벽(Purple Wall)으로 남아 있다. 반면에 조지아, 텍사스, 애리조나 주 등 선벨트(Sun Belt) 지역에서는 민주당의 득표율이 2012년 대통령선거 대비 5%가량 크게 늘어나고 있는데, 선벨트 지역과 러스트벨트 지역 간의 이러한 차이는 고학력 백인 유권자들이 러스트벨트 지역보다 선벨트 지역에서 훨씬 빠르게 증가하고 있는 것과도 관련이 있다(Skelley et al. 2020).
10 2016 대통령선거에서 교외 지역에서 공화당의 트럼프 후보가 승리하였지만 민주당의 클린턴 후보와의 격차는 4%(49%:45%) 포인트에 불과하여 그 이전 교외 지역의 대통령선거 결과와 비교하여 공화당의 승리 격차는 크게 줄어들었다.

표7-2 2018년 하원선거에서 인구밀집도별 민주당 추가 의석

인구밀집도별 하원선거구	2018년 선거 이전 의석		2018년 선거 이후 의석			민주당 추가의석	민주당 추가 의석비율(%)
	민주	공화	민주	공화	미정		
저밀도 교외	35	51	50	35	1	15	42
고밀도 교외	56	27	68	15	0	12	33
도시 교외	41	7	48	1	1	5	14
농촌 교외	21	93	24	90	0	3	8
도시	33	1	34	0	0	1	3
농촌	9	61	9	60	1	0	0
합계	195	240	231	201	3	36	100

출처: Skelley(2018)

표7-3 대선 후보 지지 유형별 2018년 하원선거 민주당 추가의석

인구밀집도별 하원선거구	하원선거구의 대통령선거 후보 지지 유형			
	오바마-클린턴	오바마-트럼프	롬니-클린턴	롬니-트럼프
저밀도 교외	4	2	3	6
고밀도 교외	2	0	6	4
도시 교외	3	0	2	0
농촌 교외	0	1	0	2
도시	0	1	0	0
농촌	0	0	0	0
합계	9	4	11	12
민주당추가의석비율(%)	25	11	31	33

출처: Skelley(2018)

하원선거에서 민주당은 41석을 추가하여 하원의 다수당이 되었는데,
〈표 7 - 2〉는 민주당이 추가한 의석의 89%가 교외 지역에 위치하고 있음

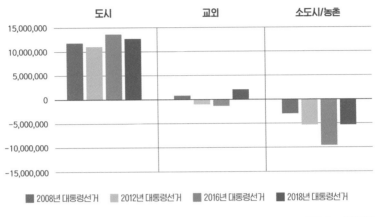

그림 7-5 거주지 유형별 민주-공화당 대통령선거 및 2018년 하원선거 득표수 격차

출처: Frey(2020b)

을 보여주고 있다(저밀도 교외 42%, 고밀도 교외 33%, 도시교외 14%).[11]

교외 지역의 2018년 하원선거 결과와 관련하여 더욱 중요한 변화는 〈표 7-3〉에서 볼 수 있는 것처럼 민주당이 교외 지역의 하원선거에서 추가한 의석이 2016년 대통령선거에서 민주당의 클린턴 후보가 승리한 하원선거구 뿐 아니라 공화당의 트럼프 후보가 승리한 하원선거구에서 도 많이 나왔다는 점이다. 실제로 2016년 대통령선거에서 클린턴 후보

---

11 교외 지역은 Bloomberg CityLab의 인구밀집도(population density)가 높은 순으로 분류한 6개의 유권자 거주지역 유형 중에서 도시와 농촌 지역을 제외한 4개 유형, 즉 인구밀집도가 높은 순으로 도시교외(Urban Suburb), 고밀도 교외(Dense Suburb), 저밀도 교외(Sparse Suburb), 농촌교외(Rural Suburb)를 포함하지만, 이 중 농촌교외는 인구 구성의 특성에 있어 농촌보다 상대적으로 인구가 밀집되어 있는 것 이외에는 농촌 지역과 의미있는 차이가 없어 이 장에서 교외 지역은 도시교외, 고밀도 교외, 저밀도 교외로 구성되어 있다.

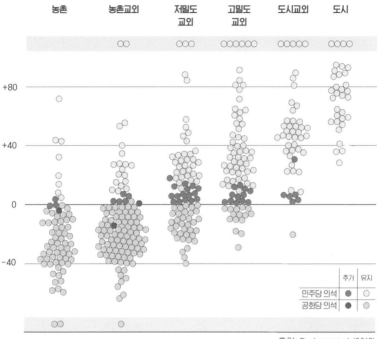

그림7-6 2018년 하원선거구별 민주당-공화당 득표율 격차(%)

출처: Badger et al.(2018)

가 승리한 교외 지역 하원선거구에서 민주당이 20석의 하원 의석을 추가

하였지만 트럼프 후보가 승리한 하원선거구에서도 16석의 의석을 추가

하여 민주당이 교외지역에서 추가한 전체 의석의 44%를 점하고 있다.

2018년 하원선거에서 교외 지역에 거주하는 유권자들의 정당지지

행태 변화는 〈그림 7-5〉를 통해서도 확인할 수 있다. 유권자 거주지

유형별 2018년 하원선거에서의 민주당과 공화당 간의 득표수 격차를

2016년 대통령선거 결과와 비교하여 보면 도시 지역에서는 민주당 득

표수 우위가 약간 줄어들고 있지만 교외 지역과 소도시/농촌 지역에서는 민주당 득표수가 증가하고 있다. 하지만 더욱 중요한 것은 소도시/농촌 지역에서는 아직도 공화당이 큰 폭의 우세를 유지하고 있지만 교외 지역에서는 공화당 우세에서 민주당 우세로 바뀌고 있다는 점이다. 그리고 교외 지역에서의 이러한 변화가 2018년 하원선거에서 민주당이 승리하여 하원의 다수당이 되는 주요인이 되고 있는 것이다.

또한 2018년 하원선거의 최종적인 선거 결과를 기초로 하여 작성된 〈그림 7-6〉에서 보듯이 2018년 하원선거에서 민주당은 선거 결과가 늦게 나온 선거구 등을 포함하여 최종적으로는 모두 41석을 추가하였는데 이 중 34석이 교외 지역(저밀도 교외, 고밀도 교외, 도시교외) 선거구에 위치하고 있다.

III. 인종 갈등 및 코로나 발생 이후 교외 지역 유권자 변화

2018년 하원의원 선거에서 표출된 교외 지역 고학력 백인 유권자들의 트럼프 대통령 및 공화당에 대한 부정적인 태도는 트럼프 대통령의 인종주의적이고 여성차별적인 언행 뿐 아니라 트럼프 대통령 집권 이후 지속되어 온 강력한 반이민정책 및 불법 이민자 자녀들에 대한 분리 조치 등 비인도적인 정책들로 인해 이미 확산되어 온 바 있다. 특히 2020년 들어와서 플로이드(George Floyd) 사건을 시작으로 경찰의 과잉 진압으로 인하여 다수의 흑인이 희생되는 사건이 빈발하면서 '흑

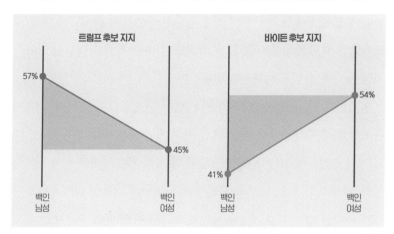

그림 7-7　교외 거주 백인 남성과 여성의 트럼프, 바이든 후보에 대한 지지율

트럼프 후보 지지

바이든 후보 지지

57%

54%

45%

41%

백인
남성

백인
여성

백인
남성

백인
여성

출처: Conroy and Thomason-Deveaux(2020)

인 생명도 중요하다(Black Lives Matter)' 등의 항의 집회 시위 등으로 인종 갈등이 고조되는 상황에서 트럼프 대통령이 법과 질서(Law and Order)를 강조하면서 인종문제와 관련한 항의 집회 시위에 대하여 강경 조치로 대응해 온 것이 교외 지역 고학력 백인 유권자들의 불만과 거부감을 증폭시켰다.

이러한 인종 갈등에 추가하여 코로나가 확산되면서 방역수칙을 잘 지키지 않는 트럼프 대통령의 코로나 사태에 대한 안이한 대응 역시 트럼프 대통령에 대한 부정적 태도를 강화시켜 왔는데, 계속하여 증가하는 미국 내 코로나 확진자 및 사망자 추세는 교외 지역 고학력 백인 유권자, 특히 자녀를 두고 있는 고학력 백인 여성 유권자들의 불안을 한층 더 가중시킨 바 있다. 더욱이 트럼프 대통령이 집권 이후 건강보험 개혁법을 폐지시키면서 약속했던 대체 법안을 제시하지 않고 있는 데 대한 불만이 코로나 확산으로 인해 건강에 대한 불안감이 커지면서 더욱 고조되었던 것도 트럼프 대통령 및 공화당에 대한 부정적 태도를 강화시키는 또 다른 요인으로 작용하였다.

엄격한 총기 규제에 반대하고 기후 변화 문제에 대한 대처에 있어 미온적인 트럼프 대통령에 대한 교외 지역 백인 유권자들의 부정적인 태도 역시 증가하여 왔다. 빈발하는 총기 사고 및 기후 변화로 인해 서부의 산불, 중서부의 홍수, 남부의 허리케인 등 예년에 비하여 빈번해지고 규모가 커지고 있는 환경 재앙에 불안해 하는 고학력 백인 유권자들, 특히 교육, 육아, 의료 등 문제에 대한 관심이 매우 높은 고학력 백인 여성 유권자들이 강한 불만을 갖고 있었다. 또한 고학력 백인 여성 유권자들의 경우 트럼프 대통령이 자주 사용하는 거칠고 분열적인 언사에 대해서도 거부감이 강하며, 〈그림 7-7〉에서 보듯이 교외 거주 백인 여성들의 트럼프 후보 지지는 백인 남성들에 비하여 크게 저조한 반면, 바이든 후보에 대한 지지는 백인 남성들에 비하여 13% 포인트 높게 나타나고 있다.

교외 거주 고학력 백인 유권자들, 특히 백인 여성 유권자들의 트럼프에 대한 강한 거부감을 줄이기 위하여 트럼프 대통령은 2020년 7월 교외 거주 가정주부들(Suburban Housewives of America)에게 보내는 트윗을 통하여 오바마 행정부가 2015년 채택했던 공정 주거 강화(AFFH: Affirmatively Furthering Fair Housing) 조치[12]를 철회한다고

---

12 오바마 행정부의 공정 주거 강화(AFFH) 조치는 지방정부가 단독주택 지역설정(single-

하면서, 앞으로는 교외 지역에서 더 이상 저소득층 공동주택 건설이 어려워져 교외 지역의 주택가격은 상승하고 범죄율은 감소할 거라고 한 바 있다.[13] 하지만 트럼프 대통령의 이러한 교외 거주 백인 여성 유권자 공략은 2020년 대통령선거 결과에서 보듯이 성공하지 못하였다.

그동안 접전주의 교외지역 중에서도 필라델피아, 피츠버그, 디트로이트, 밀워키, 피닉스 주변의 교외 지역처럼 압도적으로 많은 백인들이 거주하고 있는 교외 지역에서는 트럼프 후보가 뚜렷하게 우위를 점하고 있었다. 하지만 이처럼 트럼프 후보가 큰 폭으로 우위에 있었던 교외 지역에 거주하는 백인들 중에서조차도 트럼프 후보의 극단적인 언사와 문화적 쟁점 입장에 실망한 고학력 백인 유권자들이나 트럼프 행정부의 코로나에 대한 부적절한 대응으로 코로나 확진자 및 사망자 수 증가에 실망한 노령층 백인 유권자들의 지지가 뚜렷하게 줄어들고 있어 트럼프의 우위는 크게 약화되었다. 특히 트럼프 대통령의 오바마케어 철회에 따라 의료보장에 있어 불안감이 고조되었던 것도 트럼프 후보 지지를 약화시키는 또 다른 요인으로 작용하였다.

family zoning) 등을 통하여 저소득층 공동주택 건설을 차단시켜 사실상 인종분리(racial segregation) 를 악화시키는 경우 연방 보조금 지원을 중단함으로써 1968년 존슨(Lyndon Johnson) 민주당 행정부에서 입법화되었던 공정 주거법(Fair Housing Act)의 실현을 촉진하기 위한 행정조치이었다.

13   Trounstine 2020. 트럼프 대통령의 AFFH 철회 조치는 단순히 주택정책의 변화라기보다는 대부분 저소득층에 속하는 흑인 등 유색 인종의 교외 거주를 차단함으로써 교외 거주 백인 유권자들의 유색 인종에 대한 거부감을 활용하여 지지를 끌어 올리려는 의도가 강하게 작용하였다고 볼 수 있다.

IV. 대통령선거와 교외 지역 유권자

본격적인 분석에 앞서 먼저 2020년 대통령선거에서 교외 지역에 거주하는 유권자들의 정당지지 행태가 이전에 치러졌던 대통령선거들과 비교하여 어떻게 달라지고 있는지, 그리고 2020년 대통령선거에서 마지막까지 경쟁이 치열하였던 접전주들에서 어떠한 변화가 일어나고 있는지를 보고, 최근 들어 점점 더 뚜렷해지고 있는 교외 지역의 인구밀집도 차이에 따른 정당지지의 분화 현상에 대해 논의할 필요가 있다. 〈그림 7-8〉은 인구밀집도에 따라 전국의 카운티를 도시, 교외, 소도시, 농촌의 4개 유형으로 분류하고 2008, 2012, 2016, 2020년 대통령선거에서 나타난 민주당 후보와 공화당 후보 간의 득표율 격차를 보여주고 있는데, 여기에서 주목해 보아야 할 부분은 2020년 대통령선거에서 2016년 대통령선거 대비 교외 지역 카운티에서 평균 4%, 소도시 카운티에서 평균 3% 민주당 후보의 득표율이 증가하고 있는데, 특히 교외 지역에서는 공화당이 우세했던 2016년 대통령선거와는 달리 2020년 대통령선거에서는 민주당 우세로 바뀌고 있다는 점이다. 또 하나 흥미있는 점은 농촌 지역에서 트럼프 후보의 매우 높은 수준의 지지는 변함이 없지만 도시 지역에서는 2016년 대통령선거와 비교하여 2020년 대통령선거에서 바이든 후보의 지지가 소폭 감소하고 있다는 점이다. 하지만 도시 지역에서의 트럼프 후보의 지지율 증가는 교외와 소도시 지역에서 바이든 후보의 지지율 증가에 의해서 상쇄되고 있다.

2020년 대통령선거에서 민주당 후보의 득표가 교외 지역과 소도시

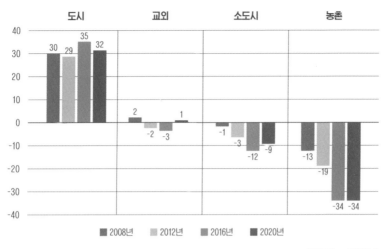

그림 7-8　유권자 거주지 유형별 민주당-공화당 대통령 선거 득표율 격차(%)

■ 2008년　■ 2012년　■ 2016년　■ 2020년

출처 : Frey(2020c)

지역의 카운티에서 증가하고 있는 전국적인 추세 변화는 민주, 공화 양

당 간의 치열한 경쟁이 펼쳐졌던 접전주에서도 동일하게 나타나고 있어

교외 지역과 소도시 지역, 특히 교외 지역에서의 이러한 유권자 지지 변

화가 2020년 대통령선거의 승패를 가르는 결정적 요인으로 작용했음

을 확인시켜 주고 있다.

〈그림 7-9〉는 2020년 대통령선거에서 민주, 공화 양당 간 경쟁이

치열했던 접전주 중 미시간, 펜실베이니아, 위스컨신 주 등 러스트벨트

지역 3개 주와 선벨트 지역의 조지아 주에서 민주-공화당 간의 2008,

2012, 2016, 2020년 대통령선거에서 득표율 격차를 보여주고 있는데,

특히 2020년 대통령선거의 경우 교외 지역과 소도시 지역에서 민주당

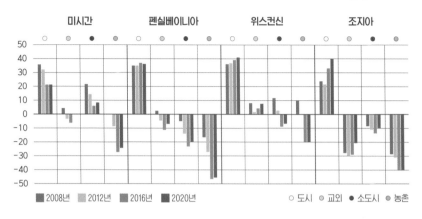

그림 7-9 거주지 유형별 민주-공화당 대통령선거 득표율 격차(%)

■ 2008년 ■ 2012년 ■ 2016년 ■ 2020년   ○ 도시 ◉ 교외 ● 소도시 ◉ 농촌

출처: Frey(2020b)

이 공화당과의 득표율 격차에 있어 2016년 대통령선거 대비 4개 주 모두에서 증가하고 있음을 보여주고 있다.

최근 들어 교외 지역에서 나타나고 있는 또 하나의 중요한 균열선(fault line)은 인구 밀집도 균열(Density Divide)이다. 즉 인구밀집도에 따른 교외 지역 정당 지지도의 차이가 점점 더 커지고 있는 것이다. 2020년 대통령선거 후 분석[14]에 따르면 교외 지역의 인구밀집도 차이에 따른 정당 지지의 차이는 점점 더 뚜렷해지고 있어 정당지지나 선거 결과에 미치는 인구밀집도 효과(Density Effect)는 더욱 강화되는 추세

---

14 Florida, Patino, and Dottle 2020.

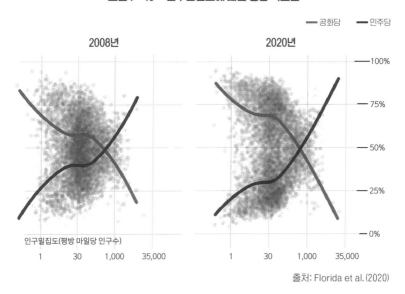

그림 7-10 인구밀집도에 따른 정당 득표율

■ 공화당   ■ 민주당

2008년   2020년

인구밀집도(평방 마일당 인구수)

1   30   1,000   35,000   1   30   1,000   35,000

출처: Florida et al. (2020)

라고 볼 수 있다.[15] 이처럼 인구밀집도가 교외 지역에서 선거결과에 영향을 미치는 중요한 요인으로 작용하고 있는 것은 같은 교외 지역이라 해도 인구밀집도에 따라 우세 정당이 달라지는 현상에서 확인할 수 있다. 즉, 교외 지역의 경우에도 비백인 인구 비율이 높고 문화적 이슈에 있어 진보적 성향을 갖는 고학력 백인 인구 비율이 높은 대도시 근교 교외지역과 보다 외곽에 위치하고 있는 교외 지역 사이에 우세 정당이 확

---

15   예를 들어, 2020년 대통령선거에서 뉴욕시 교외에 위치하고 있는 나소(Nassau) 카운티 의 경우 바이든 후보가 54.1%의 득표율로 트럼프 후보를 거의 10% 포인트 격차로 크게 앞서고 있는 반면, 훨씬 외곽에 위치하고 있는 서포크(Suffolk) 카운티의 경우 공화당의 득표율이 줄어들고는 있지만 여전히 트럼프 후보가 49.4%를 득표함으로써 승리를 거둔 바 있다 (Hernandez 2020).

연하게 나눠어지는 양극화가 심화되고 있는 것이다(Hopkins 2019).

실제로 〈그림 7 - 10〉에서 보듯이 교외 지역의 인구밀집도가 높아질 수록 민주당 지지도가 상승하고 인구밀집도가 낮아질수록 공화당 지지도가 상승하는 패턴을 보여주고 있으며, 2008년 대비 2020년 대통령선거에서 교외 지역의 인구밀집도가 정당 지지도에 미치는 영향력이 더욱 커지고 있다. 이는 교외 지역의 인구밀집도가 정당 지지도에 미치는 영향력의 크기를 반영하는 두 변수 간의 상관관계 추세선의 기울기로 확인할 수 있는 데, 2008년 대비 2020년 대통령선거의 경우 추세선의 경사가 더욱 가팔라지고 있으며, 이러한 변화는 교외 지역의 인구밀집도가 정당 지지도에 미치는 영향력이 커지고 있음을 의미한다.

하지만 밀집도 균열선이 점차 인구밀집도가 낮은 보다 외곽의 교외 지역으로 이동하고 있어, 인구밀집도에 따라 우세 정당이 달라지는 변곡점(inflection point)이 2012년 평방 마일당 800명에서 2020년 대통령선거의 경우에는 평방 마일당 700명 수준으로 이동하고 있다.[16] 이에 따라 앞으로 민주, 공화당 사이에 가장 치열한 경쟁이 예상되는 지역은 교외 지역 중에서도 인구밀집도가 평방 마일당 400명에서 1,500명 사이에 위치한 소위 보라색 카운티(Purple County)들이 될 것으로 보고 있다.[17]

16   Florida et al. 2020.
17   Walter 2020.

V. 대통령선거 접전주 교외지역의 정당지지 분석

2020년 대통령선거에서 치열한 선거경쟁이 벌어졌던 접전주로 처음에
는 북부 러스트벨트 지역의 펜실베이니아, 미시간, 위스컨신 주 등 3개
주와 남부 선벨트 지역의 노스캐롤라이나, 플로리다, 애리조나 주 등
3개 주가 주로 거론되었으나 선거 후반부로 가면서 이들 6개 접전주에
추가하여 선거 초반 공화당이 우세했던 오하이오, 아이오와, 조지아, 텍
사스 주, 그리고 초반 민주당이 우세했던 네바다, 미네소타 주 등 6개주
에서도 선거 경쟁이 치열하게 전개된 바 있다.

여기에서는 이들 12개 접전주 중에서도 특히 선거 마지막까지 민주,
공화 양당 간의 득표율 격차가 1% 미만의 초접전이 벌어졌던 애리조
나, 조지아, 위스컨신 3개 주와 최근 대통령선거에서 민주, 공화당 간의
경쟁이 치열하게 전개되고 있는 펜실베이니아 주 와 중서부의 오하이
오, 미시간, 미네소타 주 등 4개 주, 그리고 서부의 접전주인 네바다 주
등 모두 8개 주의 교외 지역에 거주하는 유권자들의 정당지지 행태가
지난 2016년 대통령선거 및 2018년 하원선거와 비교하여 어떻게 달라
졌는지에 대하여 집중적으로 보고자 한다. 여기에서 분석 대상이 되는
교외 지역은 8개 접전주에 위치하고 있는 46개의 교외 지역 연방 하원
선거구(Congressional District)로 구성되어 있다. 분석 대상이 되고있
는 46개 교외 지역 하원선거구는 〈그림 7 - 11〉의 인구밀집도별 435개
하원선거구 중 8개 접전주에 위치한 8개의 도시교외(Urban Suburb),
14개의 고밀도 교외(Dense Suburb), 24개의 저밀도 교외(Sparse

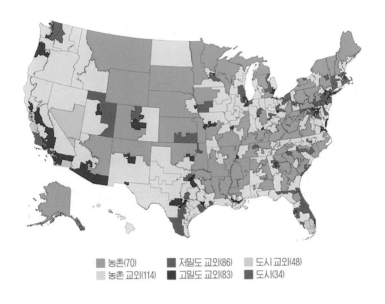

그림 7-11 인구밀집도별 하원선거구

농촌(70)　　　저밀도 교외(86)　　도시 교외(48)
농촌 교외(114)　고밀도 교외(83)　도시(34)

출처: Florida and Montgomery(2018)

Suburb) 지역 선거구로 구성되어 있다.

　여기에서는 8개 접전주 교외지역에 위치한 46개 하원선거구에서
2016년 대통령선거와 2018년 하원선거 대비 2020년 대통령선거 민
주-공화당 득표율 격차 변화에 어떠한 요인들이 영향을 미치고 있는지
를 구체적으로 보기 위하여 회귀분석을 사용하였다. 접전주 교외지역
의 정당지지에 영향을 미치는 독립변수로는 앞서 논의되었던 인종, 교
육수준, 인구밀집도 등 변수들 이외에 통제변수로 소득수준 및 종교 변
수를 추가하였다. 접전주 교외 지역의 정당지지 변화를 설명하기 위하

여 이들 변수들은 다음과 같이 조작화되었다.

회귀분석을 통하여 설명하고자 하는 첫 번째 종속변수는 접전주 교외지역 하원선거구에서 2020년 대통령선거 민주-공화당 득표율 격차와 2016년 대통령선거 민주-공화당 득표율 격차 간의 변화 비율이다. 또 다른 종속변수는 접전주 교외지역 하원선거구에서 2020년 대통령선거 민주-공화당 득표율 격차와 2018년 하원선거 민주-공화당 득표율 격차 간의 변화 비율이다.[18] 이들 종속변수를 설명하기 위한 독립변수들 중 먼저, 이 장에서 핵심적으로 고려하고 있는 인종 변수는 각 하원선거구의 백인 비율을, 교육 변수는 각 선거구의 대졸자 비율을 사용하였다. 다음으로 각 하원선거구의 인구밀집도 변수는 저밀도 교외=1, 고밀도 교외=2, 도시 교외=3의 값을 부여하여 조작화하였다. 이상 3개의 독립변수들에 2개의 통제변수를 추가하였는데, 통제변수로 사용되고 있는 소득 변수는 각 하원선거구의 중위 소득 값을, 종교 변수는 각 선거구의 비종교 인구 비율을 사용하였다.[19]

이어서 대학을 졸업한 고학력 유권자들 중에서도 앞서 논의에서 강조되었던 고학력 백인 유권자들의 영향력을 추가로 검증하기 위하여 또 다른 회귀분석을 사용하였다. 또 다른 회귀분석에서는 2016년 대통령

---

[18] 여기에서 사용하고 있는 접전주 하원선거구의 2020년 대통령선거와 2016년 대통령선거 및 2018년 하원선거에서의 민주당과 공화당의 득표율 데이터는 Dailykos의 Election Results by Congressional District에서 추출하였다.

[19] 여기에서 사용하고 있는 접전주 하원선거구의 백인 인구 비율, 대졸자 비율, 중위 소득 값, 비종교 인구 비율 데이터는 Dailykos의 Congressional District Demographics에서 추출하였다.

선거와 2018년 하원선거 대비 2020년 대통령선거 민주-공화당 득표율 격차 변화를 설명하기 위하여 소득수준, 종교, 인구밀집도 이외에 앞의 회귀분석에서 독립변수로 사용한 인종 변수와 교육 변수 대신 각 하원선거구의 백인 대졸자 비율을 새로운 독립변수로 사용하였다.

〈표 7-4〉는 첫 번째 회귀분석들의 결과인데, 2016년 대통령선거 대비 2020년 대통령선거에서 민주-공화당 득표율 격차 변화를 설명하기 위해 사용된 5개 독립변수들 중에서 선거구의 백인 인구 비율, 소득수준, 인구밀집도, 대졸자 비율 등이 유의미한 영향력을 갖고 있는 것을 보여주고 있다. 이는 접전주 선거구의 백인 인구 비율이 낮고 중위 소득수준이 높으며, 인구밀집도가 높을수록, 그리고 특히 선거구의 대졸자 비율이 높을수록 2016년 대통령선거 대비 2020년 대통령선거에서 민주당 지지가 더욱 강해지고 있음을 보여주고 있다. 또한 2018년 하원선거와 비교해서는 2020년 대통령선거에서 민주-공화당 득표율 격차를 설명하는 회귀분석 모형의 설명력은 크지 않지만 인구밀집도는 여전히 유의미한 영향력을 갖고 있음을 보여주고 있는데, 이는 교외 지역 중에서도 대도시에 보다 근접한 교외 지역에서 민주당 지지가 강화되는 추세가 지속되고 있음을 시사하고 있다.

〈표 7-5〉는 2016년 대통령선거와 2018년 하원선거 대비 2020년 대통령선거에서 민주-공화당 득표율 격차 변화를 설명하기 위해 선거구 백인 인구 비율과 교육수준 변수 대신 선거구의 백인 대졸자 비율 변수를 사용한 또 다른 회귀분석들의 결과이다. 또 다른 회귀분석들에서 사용된 4개 독립변수들 중에서 선거구의 중위 소득수준만이 유의미한

표7-4 민주-공화당 득표율 차이 변화의 회귀분석 I

구분	민주당-공화당 득표율 차이 변화 (2020/2016 대통령선거)	민주당-공화당 득표율 차이 변화 (2020 대선/2018 하원선거)
선거구 백인인구 비율	-0.22** (0.02)	-0.19 (0.11)
선거구 대졸자 비율	0.61*** (0.07)	0.15 (0.33)
선거구 인구밀집도	0.20* (0.54)	0.29* (2.75)
선거구 중위소득	0.31* (0.00)	0.39 (0.00)
선거구 비종교 인구비율	0.09 (0.06)	0.24 (0.28)
R^2	0.70	0.31

위 표의 수치는 회귀계수이고, 괄호 안 수치는 표준오차임. *P < 0.1 / **P < 0.05 / *** P < 0.01

영향력을 갖고 있으며 선거구의 백인 대졸자 비율은 예상과는 달리 유의미한 영향력을 갖고 있지 않은 것으로 나타났다. 하지만 추가 회귀분석의 결과는 선거구의 중위 소득수준이 낮을수록 민주당을 지지할 가능성이 줄어들고 있음을 보여주고 있는데, 이는 노동자 유권자들이 대부분 저소득층에 속하고 있음을 감안한다면 저소득 노동자들의 민주당 이탈이 지속되고 있다는 것을 시사하고 있다고 볼 수 있다.

지금까지의 분석을 통하여 교외 지역, 특히 대도시에 가까운 도시교외 지역들이 2020년 대통령선거에서 민주-공화 양당 간의 경쟁이 치열하였던 접전주에서 민주당 바이든 후보의 승리에 크게 기여하고 있음을 확인할 수 있었다. 또한 예상했던 것처럼 하원선거구의 소득수준이 높

표 7-5 민주-공화당 득표율 차이 변화의 회귀분석 II

구분	민주당-공화당 득표율 차이 변화 (2020/2016 대통령선거)	민주당-공화당 득표율 차이 변화 (2020 대선/2018 하원선거)
선거구 대졸 백인 인구 비율	0.13 (0.07)	-0.03 (0.33)
선거구 인구밀집도	0.02 (0.57)	0.20 (2.52)
선거구 중위소득	0.63*** (0.00)	0.47** (0.00)
선거구 비종교 인구 비율	0.02 (0.06)	0.22 (0.28)
R^2	0.53	0.29

위 표의 수치는 회귀계수이고, 괄호 안 수치는 표준오차임. **P < 0.05 / ***P < 0.01

고 백인 인구 비율이 적을수록 그리고 특히 선거구의 교육수준이 높을수록 민주당의 승리격차는 더욱 커지고 있음을 확인할 수 있었다. 백인 인구 비율과 교육수준 변수 대신 고학력 백인 유권자 변수를 사용한 또 다른 회귀분석에서는 예상과 달리 선거구의 백인 대졸자 비율의 영향력은 유의미하지 않지만 소득 변수는 유의미한 영향력을 미치고 있는 것으로 나타나고 있어 2016년 대통령선거 이후 뿐 아니라 2018년 중간선거 이후에도 백인 노동자들의 민주당 이탈이 계속되고 있음을 시사하고 있다.

교외 지역에 거주하는 유권자들의 정당지지가 공화당에서 민주당으로 이동하는 변화는 앞서 언급했던 것처럼 1990년대와 2008년 대통령선거에서 이미 세 차례 일어났던 적이 있다. 때문에 2020년 대통령선거에서의 정당지지 변화도 일시적인 현상이 될 것이라는 예상도 가능하나 최근 2, 30년간 교외 지역의 비백인 유권자 비율 증가 및 교육수준 향상

등이 뚜렷하게 진행되어 온 점을 감안한다면 2020 대통령선거에서 보여준 교외 거주 유권자들의 정당 지지 변화가 단순히 일시적인 현상에 그치기보다는 보다 구조적이고 장기적인 추세 변화로 이어질 수 있다고도 볼 수 있다.

만약 2018년 중간선거와 2020년 대통령선거에서 나타나고 있는 정당 지지 변화가 단순히 일시적인 현상이 아니고 보다 구조적이고 장기적인 추세 변화로 지속된다면, 이는 민주, 공화당 간에 전국적인 수준의 힘의 균형 변화로도 이어질 수 있는 일종의 정당재편성이 일어나고 있다고도 볼 수 있을 것이다. 그동안 정당재편성 논의에서는 주로 전국적인 수준 또는 보다 광역의 지역 단위에서 이루어지는 정당지지 변화가 다루어졌지만 최근 교외 지역에서 일어나고 있는 정당지지 변화가 변화의 크기, 지속성, 정당 간 경쟁 심화 및 이에 따른 투표율 증가 등의 특징들을 갖추게 되면 교외 지역에서의 정당지지 변화가 새로운 유형의 정당재편성으로 자리매김할 수도 있을 것이다.

교외 지역에 거주하는 유권자들의 정당지지와 관련하여 최근 들어 비백인 유권자 증가 요인보다 점점 더 중요해지고 있는 요인은 앞서 논의했던 것처럼 유권자들의 교육수준 향상, 즉 대졸 유권자들의 증가이다. 따라서 교외 지역의 정당재편성이 실현될 것인지는 이들 대졸 유권자들의 지지를 끌어들이기 위해 민주, 공화 양당이 어떠한 전략을 구사하느냐에 따라 더욱 크게 영향을 받을 수 있다고 본다. 예를 들어, 공화당이 트럼프 대통령처럼 과도하게 인종주의적인 수사를 구사하지 않고 이들 대졸 유권자들의 일상 생활에 좀 더 직접적으로 영향을 미칠 수 있는 경제적 쟁점들에 더욱 집중한다면 민주당이 대졸 유권자들의 지지를 유지 내지는 강화시키는 것이 어려워질 수도 있을 것이다.

결론적으로, 2020년 대통령선거에서 구축한 민주당의 정당 지지연 합(Party Coalition)이 얼마나 내구력을 가질 수 있느냐에 의해 교외 지 역 정당재편성의 실현 여부가 결정될 수 있다고 보며, 이를 위해서는 민 주당이 교외 지역 비백인 유권자들의 지지를 동원해 내는 것 못지않게 과도하게 진보적인 정책입장을 취하지 않으면서 고학력 유권자들, 특 히 중산층이 되고자 하는 고학력 백인 유권자들의 경제적 욕구를 어느 정도 충족시켜 줌으로써 이들의 지지를 지속적으로 견인해 낼 수 있을 것인가가 중요하다고 본다. 더욱이 2016년 대통령선거 이후 진행 중인 백인 노동자 유권자들이 민주당을 이탈하여 점차 공화당으로 이동해 가 는 추세가 지속되고 있음을 감안할 때, 민주당이 향후 교외 지역 고학 력 백인 유권자들의 지지를 성공적으로 견인해 낼 수 있는지 여부는 이 러한 추세를 상쇄해 낼 수 있다고 보기 때문에 매우 중요한 의미를 가질 수 있다고 본다.

서정건. 2019. 『미국정치가 국제 이슈를 만날 때』. 서울: 서강대학교출판부.

유성진·정진민. 2011. "티파티운동과 미국 정당정치의 변화." 『한국정당학회보』 10권 1호.

임성호. 2005. "부시의 전략적 극단주의: 정당분극화, 선거전략 수렴의 부재." 미국정치연구회 편. 『부시 재집권과 미국의 분열』. 서울: 오름.

임성호. 2014. "미국 코커스 제도의 이상과 현실" 『국가전략』 20권 3호.

정진민. 2000. "1980년대 이후 미국 정당정치의 변화: 세대요인을 중심으로." 『한국정치학 회보』 34집 1호.

정진민. 2018. 『정당정치 변화와 유권자정당』. 고양: 인간사랑.

최준영. 2007. "공화당의 남벌전략과 남부의 정치적 변화." 『신아세아』 14권 3호.

Abramowitz, Alan. 1995. "The End of the Democratic Era? 1994 and the Future of Congressional Election Research." *Political Research Quarterly* 48.

Abramowitz, Alan, and Kyle Saunders. 2008. "Is Polarization a Myth?" *Journal of Politics* 70.

Abramowitz, Alan. 2013. *The Polarized Public? Why American Government is So Dysfunctional*. New York: Pearson.

Abramowitz, Alan. 2016. "Donald Trump, Partisan Polarization, and the 2016 Presidential Election." *Sabato's Crystall Ball* (June 30, 2016).

Abramowitz, Alan. 2018. *The Great Alignment: Race, Party Transformation, and the Rise of Donald Trump*. New Haven: Yale University Press.

Abramson, Paul, John Aldrich and David Rohde. 2002. *Change and Continuity in the 2000 Elections*. Washington DC: CQ Press.

Abramson, Paul, John Aldrich and David Rohde. 2005. "The 2004 Presidential Election: The Emergence of a Permanent Majority?" *Political Science Quarterly* 120.

Alvarez, Michel and John Brehm. 1995. "American Ambivalence towards Abortion Policy." *American Journal of Political Science* 39.

Asher, Herbert. 1992. *Presidential Election and American Politics*. 5th ed. Pacific Grove: Brooks & Cole.

Badger, Emily, Quoctrung Bui and Josh Katz. 2018. "The Suburbs Are Changing. But Not in All the Ways Liberals Hope." *New York Times*(November 26, 2010).

Badger, Emily, Quoctrung Bui and Josh Katz. 2018. "The Suburbs Are Changing. But Not in All the Ways Liberals Hope." *NewYork Times*(November 26, 2020).

Bardes, Barbara, Mack C. Shelley and Steffan W. Schmidt. 2005. *American Government and Politics Today*. Belmont, CA: Thomson/Wadsworth.

Axelrod, Robert. 1986. "Presidential Election Coalitions in 1984." *American Political Science Review* 80.

Bowman, Karlyn and Andrew Rugg. 2012. AEI *Special Report: Delegates at National Conventions 1968-2008*.

Buell, John. 1997. "Election Results." *Humanist* 57.

Bump, Philip. 2016. "Hillary Clinton's campaign was crippled by voters who stayed home." *The Fix*(November 9, 2016).

Burnham, Walter Dean. 1970. *Critical Elections and the Mainsprings of American Politics*. New York: Norton and Company.

Burnham, Walter Dean. 1997. "Introduction : Bill clinton, Riding the Tiger." Gerald Pomper, ed. *The Election of 1996*. Chatham: Chatham House.

Camobreco, John, and Michelle Barnello. 2016. "How Trump could ignore social conservatives and win." *Monkey Cage Analysis*(July 8, 2016).

Campbell, James. 2005. "Why Bush Won the Presidential Election of 2004: Incumbency, Ideology, Terrorism, and Turnout." *Political Sciences Quarterly* 120.

Capps, Kriston. 2020. "What Does Trump Think the 'Suburban Lifestyle Dream'

Means?" *Bloomberg CityLab*(July 31, 2020).

Carmines, Edward and James Stimson. 1989. *Issue Evolution: Race and the Transformation of American Politics*. Princeton: Princeton University Press.

Ceaser, James and Andrew Busch. 2005. *Red Over Blue: The 2004 Elections and American Politics*. Lanham: Rowman & Littlefield.

Chambers, William and Walter Dean Burnham. 1967. *The American Party Systems: Stages of Political Development*. New York: Oxford University Press.

Conroy, Scott. 2014. "Gop Senate Incumbents Complete Primary Season Sweep." *RealClearPolitics*(August 8, 2014).

Conroy, Meredith and Amelia Thomson-DeVeaux. 2020. "Why Trump Is Loosing White Suburban Women." *FiveThirtyEight*(October 20, 2020).

Converse, Philip. 1964. "The Nature of Belief Systems in Mass Public." David Apter. ed. *Ideology and Discontent*. New York: Free Press.

Cramer, Katherine. 2014. *The Politics of Resentment: Rural Consciousness in Wisconsin and the Rise of Scott Walker*. Madison: University of Wisconsin Press.

Deckman, Melissa. 2016. "This one survey shows why Trump won't win over Sanders supporters." *Monkey Cage Analysis*(July 19, 2016).

Dreier, Peter. 2020. "Not Your Grandad's Suburb: Trump's Racist Appeals Fall Flat in Diversified Suburbs." *Shelterforce*(August 17, 2020).

Enten, Harry. 2016a. "Trump may become the first Republican in 60 years to lose white college graduates." FiveThirtyEight(July 6, 2016).

Enten, Harry. 2016b. "Demographics aren't destiny and four other things this election taught me." *FiveThirtyEight*(November 14, 2016).

Erikson, Robert, and Kent Tedin. 2010. *American Public Opinion: Its Origins, Content, and Impact*. 8th ed. New York: Longman.

Erikson, Robert, Thomas Lancaster, and David Romero. 1989. "Group Components of the Presidential Vote, 1952-1984." *Journal of Politics* 51.

Everett, Burgess. 2014. "Tea Party Eats Its Own in Oklahoma." *Politico*(April 24, 2014)

Federal Election Commission. 2012. *Official 2012 Presidential Election Results*.

Federal Election Commission. 2014. *2014 House and Senate Campaign Finance*.

Fiorina, Morris, and Samuel Abrams, and Jeremy Pope. 2005. *Culture War? Myth of a Polarized America.* Upper Saddle River, NJ: Pearson.

Fiorina, Morris with Samuel Abrams and Jeremy Pope. 2008. "Polarization in the American Public." *Journal of Politics* 70.

Fiorina, Morris, Samuel Abrams, and Jeremy Pope. 2011. *Culture War? The Myth of a Polarized America.* New York: Pearson.

Flowers, Andrew. 2016. "Where Trump got his edge." *FiveThirtyEight* (November 11, 2016).

Florida, Richard and David Montgomery. 2018. "How the Suburbs Will Swing the Midterm Election" *Bloomberg CityLab* (October 5, 2018).

Florida, Richard, Marie Patino and Rachael Dottle. 2020. "How Suburbs Swung the 2020 Election." *Bloomberg CityLab* (November 18, 2020).

Frey, William. 2020a. "Flipping the script, swing states' rural, suburban, and white voters could power key Biden victories." *Brookings Institution* (October 31, 2020).

Frey, William. 2020b. "Exit polls show both familiar and new voting blocssealed Biden's win." *Brookings Institution* (November 12, 2020).

Frey, William. 2020c. "Biden's victory came from the suburbs." *Brookings Institution* (November 13, 2020).

Gallup. 2014. *State of the States.*

Glaeser, Edward, Giacomo Ponzetto and Jesse Shapiro. 2005. "Strategic Extremism: Why Republicans and Democrats Divide on Religious Values." *Quarterly Journal of Economics* 120.

Glynn, Carroll, Susan Herbst, Garrett O'Keefe, and Robert Shapiro. 1999. *Public Opinion.* Boulder: Westview.

Grant, Alan. 2004. American Political Process. 7th ed. London: Routledge.

Greenberg, Stanley. 2004. *The Two Americas: Our Current Political Deadlock and How to Break It.* New York: St. Martin's Press.

Griffin, Robert, and John Sides. 2018. "Economic Anxiety Didn't Elect Trump and It May Hurt His Party in the Midterms." *New York Times* (October 10, 2018).

Haberman, Maggie. 2014. "How the Chamber Beat the Tea Party in 2014." *Politico* (November 8, 2014).

Henderson, Michael. 2016. "Finding the Way Home: The Dynamics of Partisan Support in Presidential Campaigns." *Political Behavior* 37(4).

Hernandez, Laura. 2020. "Joe Biden Victory Boosted by Suburban Vote in Key Swing States." *Newsday*(December 5, 2020).

Hetherington, Marc. 2009. "Putting Polarization in Perspective." *British Journal of Political Science* 39.

Hopkins, Dan. 2016. "Clinton voters like Obama more than Sanders supporters do." *FiveThirtyEight*(March 7, 2016).

Hopkins, David. 2019. "The Suburbanization of the Democratic Party, 1992-2018." Paper presented at the Annual Meeting of the American Association of Political Science(Washington, DC, August 29, 2019).

Iyengar, Shanto, Gaurav Sood, and Yphtach Lelkes. 2012. "Affect, Not Ideology: A Social Identity Perspective on Polarization." *Public Opinion Quarterly* 763(3).

Jacobson, Gary. 2000. "Party Polarization in National Politics: The Electoral Connection." Jon Bond and Richard Fleisher, eds. *Polarized Politics: Congress and the President in a Partisan Era*. Washington, D.C.: CQ Press.

Levendusky, Matthew. 2010. "Clearer Cues, More Consistent Voters: A Benefit of Elite Polarization." *Political Behavior* 32.

Jacobson, Gary. 2005. "Polarized Politics and the 2004 Congressional and Presidential Elections." *Political Science Quarterly* 120.

Jardina, Ashley. 2018. *White Identity Politics*. New York: Cambridge University Press.

Jones, Robert and Daniel Cox. 2010. *Religion and the Tea Party in the 2010 Election*. Washington DC: Public Religion Research Institute.

Judis, John and Ruy Teixeira. 2002. *The Emerging Democratic Majority*. New York: Scribner.

Kaufmann, Karen. 2002. "Culture War, Secualr Realignment and Gender Gap in Party Identification," *Political Behavior* 24.

Katona, George. 1975. *Psychological Economics*. New York: Elsevier.

Key, V.O. 1955. "A Theory of Critical Elections." *Journal of Politics* 17(1).

Key, V.O., Jr. 1964. *Politics, Parties, and Pressure Groups*. New York: Thomas Growell.

Kolko, Jed. 2016. "Trump was stronger when the economy is weaker." *FiveThirtyEight* (November 10, 2016).

Koppelman, Andrew. 2002. *The Gay Rights Questions in Comtemporary American Law*. Chicago: The University of Chicago Press.

Kraushaar, Josh and James Oliphant. 2014. "The GOP Has Finally Found a Way to Defeat the Tea Party." *National Journal* (May 1, 2014).

Lau, Richard R. 1985. "Two Explanations for Negativity Effects in Political Behavior." *American Journal of Political Science* 29.

Layman, Geoffrey. 2001. The Great Divide: *Religious and Cultural Conflict in American Party Politics*. New York: Columbia University Press.

Layman, Geoffrey and Thomans Carsey. 2002. "Party Polarization and Conflict Extension in the American Election." *American Journal of Political Science* 46.

Layman, Geoffrey, Thomas Carsey, John Green, Richard Herrena, and Rosalyn Cooperman. 2010. "Activists and Conflict Extension in American Party Politics." *American Political Science Review* 104(2).

Lepore, Jill. 2010. *The Whites of Their Eyes: The Tea Party's Revolution and Battle over American History*. Princeton: Princeton University Press.

Mair, Peter. 1994. "Party Organizations: From Civil Society to the State." Richard Katz and Peter Mair, eds. *How Parties Organize: Change and Adaptation in Party Organizations in Western Democracies*. London: Sage.

Malone, Clare. 2016. "Clinton couldn't win over white women." *FiveThirtyEight* (November 9, 2016).

Mason, Lilliana. 2015. "I Disrespectfully Agree: The Differential Effects of Partisan Sorting on Social and Issue Polarization." *American Journal of Political Science* 59(1).

Massey, Douglas and Jonathan Tannen. 2018. "Suburbanization and Segregation in the United States: 1970-2010." *Ethnic and Racial Studies* 41(9).

Mellow, Nicole. 2005. "Voting Behavior: The 2004 Election and the Root of Republican Success." Michael Nelson, ed. *The Elections of 2004*. Washington DC: CQ Press.

Mezey, Michael. 2017. *(S)Electing the President: The Perils of Democracy*. New York: Routledge.

Miller, Warren. 1991. "Party Identification, Realignment, and Party Voting: Back to the Basics." *American Political Science Review* 85.

Miller, Waren and J. Merrill Shanks. 1996. *The New American Voter.* Cambridge: Harvard University Press.

Morris, Dick. 2010. "The New Republican Right." *RealClearPolitics*(October 20, 2010).

Nickerson, Michelle. 2014. *Mothers of Conservatism: Women and the Postwar Right.* Princeton: Princeton University Press.

O'Hara, John. 2010. *A New American Tea Party: The Counterrevolution Against Bailouts, Handouts, Reckless Spending, and More Taxes.* Hoboken: Wiley.

Owen, Diana. 2013. "Political Parties and the Media: The Parties Response to Technological Innovation." Mark Brewer and L. Sandy Maisel, eds. *Parties Respond: Changes in American Parties and Camp aigns,* Boulder: Westview Press.

Pew Forum on Religion & Public Life. 2012. *Nones on the Rise: One-in-Five A dults Have No Religious Affiliation*(October 9, 2012).

Pew Research Center. 2011. *The Generation Gap and the 2012 Election*(November 3, 2011).

Pew Research Center. 2012. *Partisan Polarization Surges in Bush, Obama Years: Trend in American Values 1987-2012*(June 4, 2012).

Pew Research Center. 2013. *Tea Party's Image Turns More Negative: Ted Cruz's Popularity Soars among Tea Party Republicans(October 16, 2013).*

Pew Research Center. 2015, *Trends in Party Identification*(April 7, 2015).

Pew Research Center. 2016, *Behind Trump's victory: Divisions by race, gender, education* (November 9, 2016).

Rabinowitz, George, Paul-Henri Gurian, and Stuart MacDonald. 1984. "The Structure of Presidential Elections and The Process of Realignment, 1944 to 1980." *American Journal of Political Sience 28.*

Rahn, Wendy, and Eric Oliver. 2016. "Trump's voters aren't authoritarians, new research says. So what are they." *Monkey Cage Analysis*(March 9, 2016).

Schneider, Howard. 2020. "Trump needs suburban Voters. But they aren't who he thinks they are." *Reuters Business News*(August 19, 2020).

Severns, Maggie, and Theodeoric Meyer. 2016. "House Democrats Lament blue-collar collapse." *Politico*(November 18, 2016).

Shafer, Byron. 2003. *The Two Majorities and the Puzzle of Modern American Politics.* Lawrence: University Press of Kansas.

Shea, Daniel M. 1999. "The Passing of Realignment and the Advent of the 'Base-Less' Party System." *American Politics Quarterly* 27(1).

Sides, John, and Lynn Vavreck. 2013. *The Gamble: Choice and Chance in the 2012 Presidential Election.* Princeton: Princeton University Press.

Sides, John. 2016. "Five key lessons from Donald Trump's surprising victory." Monkey Cage Analysis(November 9, 2016).

Sides, John, Michael Tesler, and Lynn Vavreck. 2018. *Identity Crisis: The 2016 Presidential Campaign and the Battle for the Meaning of America.* Princeton: Princeton University Press.

Silver, Nate. 2012. "As Swing Districts Dwindle, Can a Divided House Stand?" *FiveThirtyEight*(December 27, 2012).

Silver, Nate. 2014. "Republicans Have More Reason than Ever to Worry about Primary Challenge." *FiveThirtyEight*(August 6, 2014).

Silver, Nate. 2016. "Education, not income, predicted who would vote for Trump," *FiveThirtyEight*(November 22, 2016).

Skelley, Geoffrey. 2018. "The Suburbs-All Kinds of Suburbs -Delivered the House to Democrats." *FiveThirtyEight*(November 8, 2018).

Skelley, Geoffrey, Elena Mejia, Amelia Thomson-DeVeax and Laura Bronner. 2020. "Why the Suburbs Have Shifted Blue." *FiveThirtyEight*(December 16, 2020).

Skocpol, Theda and Vanessa Williamson. 2013. *The Tea Party and the Remaking of Republican Conservatism.* New York: Oxford University Press.

Sorauf, Frank. 1968. *Party Politics in America.* Boston: Little Brown.

Stanley, Harold, William Bianco, and Richard Niemi. 1986. "Partisanship and Group Support over Time: A Multivariate Analysis." *American Political Science Review* 80.

Sundquist, James. 1983. *Dynamics of the Party System: Alignment and Realignment of Political Parties in the United States.* Washington D.C.: Brookings Institution.

Swain, John W., Stephen A. Borrelli, Brian C. Reed, and Sean F. Evans. 2000. "A New

Look at Turnover in the US House of Representatives, 1789-1998." *American Political Research* 28.

Taylor Paul, Ana Gonzalez-Barrera, Jeffrey Passel and Mark Hugo Lopez. 2012. "An Awakened Giant: The Hispanic Electorate is Likely to Double by 2030." *Pew Research Center.*

Taylor, Jessica and Cameron Joseph. 2014. "Tea Party Candidates Flop." *The Hill* (August 8, 2014).

Tesler, Michael, and David Sears. 2010. *Obama's Race: The 2008 Election and the Dream of a Post-Racial America.* Chicago: University of Chicago Press.

Tesler, Michael. 2016. "Sorry, Donald Trump. Trade policy won't help you win Sanders voter." *Monkey Cage Analysis* (May 6, 2016).

Trounstine, Jessica. 2020. "What Trump Misunderstands About Suburban Voters." *The Atlantic* (September 9, 2020).

U.S. Census Bureau. 2011. *2010 Demographic Profile.*

Waldman, Paul. 2014. "The Future of Tea Party-GOP Infighting." *Washington Post* (April 26, 2014).

Walling, Kevin. 2020. "Trump is betting big on the suburbs, but his strategy is failing bigly." *The Hill* (September 19, 2020).

Walter, Amy. 2020. "Density as Destiny?" *Cook Political Report* (December 2, 2020).

Washington Post Company. 2012. *Washington Post-Kaiser Family Foundation Poll.*

Wasserman, David. 2018. "Why Even a Blue Wave Could Have Limited Gains." *New York Times* (August 20, 2018).

Wattenberg, Martin. 1998. *The Decline of American Political Parties, 1952-1996.* Cambridge: Harvard University Press.

Wattenberg, Martin. 2000. "The Decline of Party Mobilization." Russell Dalton and Martin Wattenberg, eds. *Parties without Partisans: Political Change in Advanced Industrial Democracies.* Oxford: Oxford University Press.

Weisberg, Herbert. 2005. "The Structure and Effects of Moral Predispositions in Contemporary American Politics." *Journal of Politics* 67.

Zernike, Kate. 2010. *Boiling Mad: Inside Tea Party America.* New York: Times Books.

찾아보기

Obama
미국정치의 양극화
오바마, 트럼프 시대의 선거정치
Trump

초판 1쇄 인쇄   2021년 8월 6일
초판 1쇄 발행   2021년 8월 13일

지은이   정진민

펴낸이   주혜숙
펴낸곳   역사공간
등 록   2003년 7월 22일 제6-510호
주 소   04000 서울특별시 마포구 동교로 19길 52-7 PS빌딩 4층
전 화   02-725-8806
팩 스   02-725-8801
이메일   jhs8807@hanmail.net

ISBN   979-11-5707-431-0 03340